# 중학생이 되기 전,
# "도형의 각도"
# 개념 동영상과 함께 나 혼자 한다!

KB046769

---

▶ **무료 개념 동영상 강의와 함께 중등 수학을 쉽고, 빠르게!**

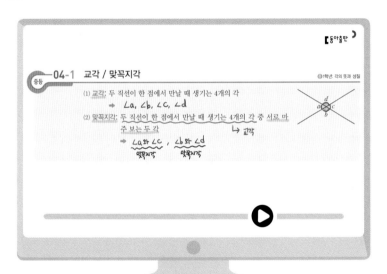

▶동아출판

중등 −04-1 **교각 / 맞꼭지각**

② 1학년: 각의 뜻과 성질

(1) 교각: 두 직선이 한 점에서 만날 때 생기는 4개의 각
→ ∠a, ∠b, ∠c, ∠d

(2) 맞꼭지각: 두 직선이 한 점에서 만날 때 생기는 4개의 각 중 서로 마
주 보는 두 각 ↳ 교각
→ ∠a와 ∠c, ∠b와 ∠d
맞꼭지각 맞꼭지각

중학 도형은 초등 수학과 다르게 기호와
문자를 많이 사용하여 어렵다고 하지요.

하하하. 초고필 도형의 각도만
있으면 문제 없소!

중학생이 되기 전인데 괜찮을까요?

무료 스마트러닝에 접속하면.
개념이 쉬워지는 동영상 강의가 있어
혼자서도 공부할 수 있답니다.

---

📶 **무료 스마트러닝 접속 방법**

방법 **1**

동아출판 홈페이지 www.bookdonga.com에 접
속하면 초고필 도형의 각도 무료 스마트러닝을 이용
할 수 있습니다.

방법 **2**

무료 스마트러닝

핸드폰이나 테블릿으로 **교재 표지에 있는 QR코드**를 찍으면 무료 스마트러닝
에서 초고필 도형의 각도 개념 동영상 강의를 이용할 수 있습니다.

# 중학생이 되기 전,
## 동영상 강의와 함께 공부의 힘을 키우는
# 초등 고학년 필수 초고필 시리즈

## 국어 독해 지문 분석 강의

- 설명문, 논설문, 문학 등 장르별로 독해 원리 이해
- 전략적으로 지문을 읽는 지문 분석 능력 향상

## 유리수의 사칙연산 / 방정식 / 도형의 각도
### 수학 개념 강의

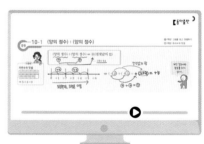

- 25일만에 끝내는 중등 수학 기초 학습
- 초등 수학과 연결하여 쉽게 중등 수학 개념 설명

## 국어 문법 문법 강의

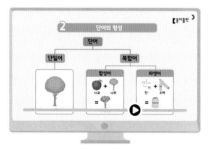

- 어려운 문법 지식도 그림으로 쉽고 재미있게 강의
- 중등 국어 문법을 위한 초등 국어 기초 완성

## 한국사 자료 분석 강의 / 한국사능력검정시험 대비

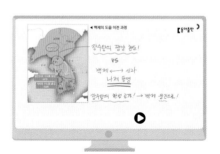

자료 분석

한국사 개념을 더욱 완벽하게 학습할 수 있는 한국사 자료 분석 강의

## 국어 어휘 어휘 강의

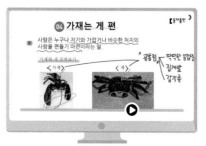

- 관용 표현과 한자어의 뜻이 한 번에 이해되는 강의
- 각 어휘의 유래와 배경 지식을 들으며 재미있게 이해

한국사능력
검정시험

- 개념 학습, 기출 문제, 모의 평가로 구성된 한국사능력검정시험 대비 특강
- 효과적인 10일 스케줄 강의 구성

# 중학생이 되기 전, 반드시 "초고필 수학 시리즈" 해야 할 때

## 🔲 중학생이 되기 전에 중등 수학을 어떻게 공부해야 하나요?

초등학생과 중학생은 학습 연령이 다르기 때문에 학습 이해도가 다를 수밖에 없습니다. 그래서 초등학생에게는 중등 개념서의 설명이 어렵게 느껴집니다. 반면 중등 연산서로 학습하면 쉽게 이해할 수 있으나, 단순한 유형의 문제를 반복 학습하는 것이기 때문에 중등 수학의 기초를 다지기에는 부족합니다. 중등 수학은 학습 내용도 어려워지고 문자나 기호, 한자 용어 등이 등장하기 때문에 단순 반복 학습보다는 깊이 있는 학습이 필요합니다.

따라서 초등학교 때는 초등학생 눈높이에 맞게 중등 수학을 공부하는 것이 중요합니다. 초등과 중등의 수학 개념을 연결하여 쉽게 이해할 수 있는 문제집, 빠르게 이해할 수 있도록 동영상 강의가 제공되는 문제집으로 중등 수학을 공부해야 합니다.

## 🔲 왜 유리수의 사칙연산, 방정식, 도형의 각도를 미리 공부해야 할까요?

### ❶ 유리수의 사칙연산

초등 수학과 중등 수학은 사용하는 수의 범위가 다릅니다. 중등 수학에서 다루는 수의 범위는 음수가 포함된 유리수이기 때문에 중등 수학을 시작하는 첫 번째 필수 단계로 유리수는 꼭 학습해야 합니다.

특히 초등학생들은 수 앞에 붙은 플러스(+), 마이너스(−) 부호와 덧셈, 뺄셈 기호가 혼동되어 양수와 음수의 연산이 어렵게 느껴집니다. 따라서 유리수의 개념을 확실하게 다지고 유리수의 사칙연산을 학습해 두어야 중학교에 가서도 수학과 친해질 수 있습니다.

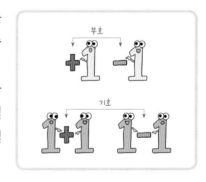

### ❷ 방정식

방정식 용어는 중등부터 사용하지만 초등학교 때 이미 '☐가 있는 식'으로 방정식을 공부했습니다. 즉, 방정식은 식을 세우고 미지수(= 모르는 수)를 구하는 과정으로 향후 모든 수학 공부에서 가장 기본이 되는 영역입니다. 특히, 중등 수학의 방정식은 수의 범위가 유리수로 확장되고 미지수를 $x$라는 기호로 사용하기 때문에 낯설게 느낄 수밖에 없습니다. 따라서 초등학교 때 방정식 준비부터 활용까지 미리 공부해야 합니다.

### ❸ 도형의 각도

중등부터 도형은 문자와 기호를 사용하여 표현하고, 도형의 성질을 증명하게 되면서 초등학교에 비해 내용이 어려워집니다. 특히 도형의 성질은 각도를 포함하고 있기 때문에 도형 학습 중 도형의 각도가 가장 중요합니다. 따라서 초등학교 때 학습한 도형 개념을 중등과 연결하여 도형의 각도를 학습하면 어려운 중등 수학에 자신감을 가질 수 있습니다.

## 25일 완성 계획표

# 초고필 도형의 각도

한눈에 보는
용어

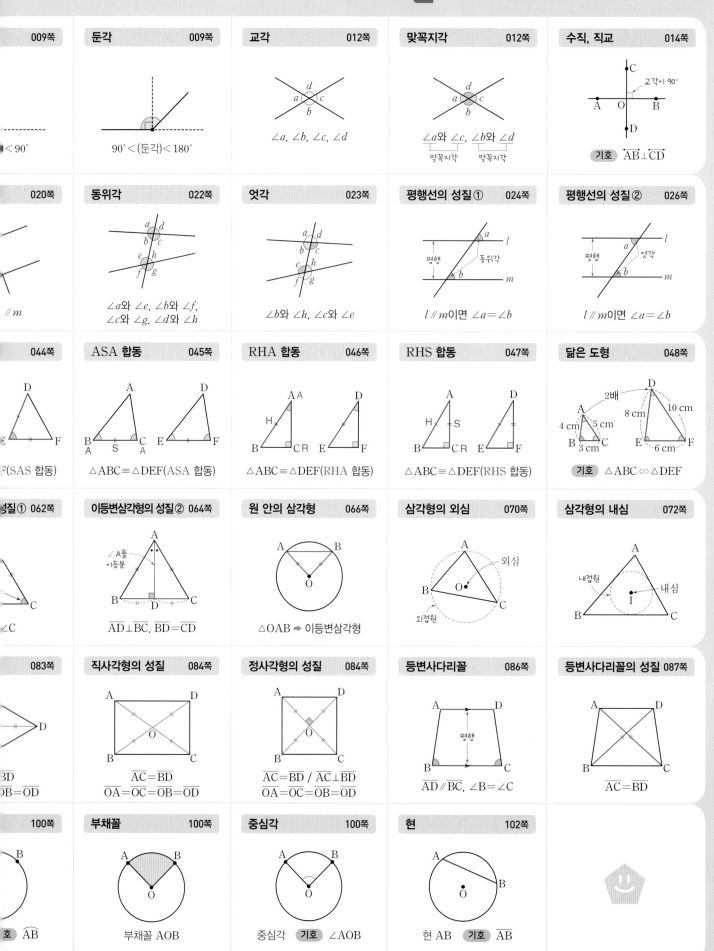

**009쪽** / $<90°$

**둔각 009쪽**
$90°<(둔각)<180°$

**교각 012쪽**
$\angle a,\ \angle b,\ \angle c,\ \angle d$

**맞꼭지각 012쪽**
$\angle a$와 $\angle c$, $\angle b$와 $\angle d$
맞꼭지각 　 맞꼭지각

**수직, 직교 014쪽**
교각이 90°
기호 $\overleftrightarrow{AB}\perp\overleftrightarrow{CD}$

**020쪽** / $\parallel m$

**동위각 022쪽**
$\angle a$와 $\angle e$, $\angle b$와 $\angle f$,
$\angle c$와 $\angle g$, $\angle d$와 $\angle h$

**엇각 023쪽**
$\angle b$와 $\angle h$, $\angle c$와 $\angle e$

**평행선의 성질① 024쪽**
평행 / 동위각
$l\parallel m$이면 $\angle a=\angle b$

**평행선의 성질② 026쪽**
평행 / 엇각
$l\parallel m$이면 $\angle a=\angle b$

**044쪽** / (SAS 합동)

**ASA 합동 045쪽**
$\triangle ABC\equiv\triangle DEF$(ASA 합동)

**RHA 합동 046쪽**
$\triangle ABC\equiv\triangle DEF$(RHA 합동)

**RHS 합동 047쪽**
$\triangle ABC\equiv\triangle DEF$(RHS 합동)

**닮은 도형 048쪽**
2배 / 4 cm / 5 cm / 3 cm / 8 cm / 10 cm / 6 cm
기호 $\triangle ABC\ \infty\ \triangle DEF$

**성질① 062쪽** / $\angle C$

**이등변삼각형의 성질② 064쪽**
∠A를 이등분
$\overline{AD}\perp\overline{BC}$, $\overline{BD}=\overline{CD}$

**원 안의 삼각형 066쪽**
$\triangle OAB$ ➡ 이등변삼각형

**삼각형의 외심 070쪽**
외심 / 외접원

**삼각형의 내심 072쪽**
내접원 / 내심

**083쪽** / $\overline{BD}$ / $\overline{OB}=\overline{OD}$

**직사각형의 성질 084쪽**
$\overline{AC}=\overline{BD}$
$\overline{OA}=\overline{OC}=\overline{OB}=\overline{OD}$

**정사각형의 성질 084쪽**
$\overline{AC}=\overline{BD}\ /\ \overline{AC}\perp\overline{BD}$
$\overline{OA}=\overline{OC}=\overline{OB}=\overline{OD}$

**등변사다리꼴 086쪽**
평행
$\overline{AD}\parallel\overline{BC}$, $\angle B=\angle C$

**등변사다리꼴의 성질 087쪽**
$\overline{AC}=\overline{BD}$

**100쪽** / 호 $\overset{\frown}{AB}$

**부채꼴 100쪽**
부채꼴 AOB

**중심각 100쪽**
중심각 기호 $\angle AOB$

**현 102쪽**
현 AB 기호 $\overline{AB}$

# 한눈에 보는 용어

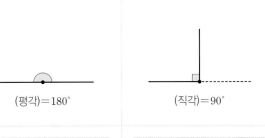

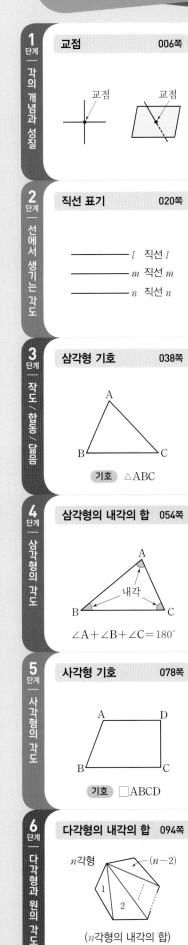

**1단계 | 각의 개념과 성질**

| 교점 006쪽 | 각 008쪽 | 평각 009쪽 | 직각 009쪽 | 예각 |
|---|---|---|---|---|

**교점**  006쪽

교점  교점

**각**  008쪽

각의 변
A
각의 꼭짓점  각의 변
O  $a$
B

기호  ∠AOB=∠BOA
=∠O=∠$a$

**평각**  009쪽

(평각)=180°

**직각**  009쪽

(직각)=90°

**예각**

0°<(예2

---

**2단계 | 선에서 생기는 각도**

**직선 표기**  020쪽

$l$ 직선 $l$
$m$ 직선 $m$
$n$ 직선 $n$

**두 직선의 관계 ①**  020쪽

[한 점에서 만난다.]

$l$
$m$
교점(1개)

**두 직선의 관계 ②**  020쪽

[평행하다.]

$l$
$m$
교점이 없다.

**두 직선의 관계 ③**  020쪽

[일치한다.]

$l, m$
교점(무수히 많다.)

**평행**

$l$
평행
$m$

기호

---

**3단계 | 작도 / 합동 / 닮음**

**삼각형 기호**  038쪽

A
B  C

기호  △ABC

**대변, 대각**  038쪽

A
$\overline{AB}$의 대각
B  C
∠A의 대변

**합동**  042쪽

A  대응점  D
대응변
B  C  E  F
대응각

기호  △ABC≡△DEF

**SSS 합동**  043쪽

A  D
S  S
B  C  E  F
S

△ABC≡△DEF(SSS 합동)

**SAS 합동**

A
S
B  C
A  S

△ABC≡△DE

---

**4단계 | 삼각형의 각도**

**삼각형의 내각의 합**  054쪽

A
내각
B  C

∠A+∠B+∠C=180°

**내각과 외각의 관계**  056쪽

A
B  C  D

∠ACD=∠A+∠B

**삼각형의 외각의 합**  058쪽

A  $a$  외각
$b$  내각
B  C
$c$

∠$a$+∠$b$+∠$c$=360°

**이등변삼각형**  062쪽

A  꼭지각
밑각
B  C
밑변

$\overline{AB}=\overline{AC}$

**이등변삼각형의**

A
밑2
B

∠B=

---

**5단계 | 사각형의 각도**

**사각형 기호**  078쪽

A  D
B  C

기호  □ABCD

**사각형의 내각의 합**  078쪽

A  D
내각
B  C

∠A+∠B+∠C+∠D=360°

**사각형의 외각의 합**  079쪽

A  $a$  외각  D
$d$
$b$  내각
B  C
$c$

∠$a$+∠$b$+∠$c$+∠$d$=360°

**평행사변형의 성질**  081쪽

A  D
O
B  C

$\overline{OA}=\overline{OC}, \overline{OB}=\overline{OD}$

**마름모의 성질**

A
B  O
C

$\overline{AC}⊥$
$\overline{OA}=\overline{OC},$

---

**6단계 | 다각형과 원의 각도**

**다각형의 내각의 합**  094쪽

$n$각형  $(n-2)$
1
2

(n각형의 내각의 합)
=180°×$(n-2)$

**다각형의 외각의 합**  096쪽

외각

(다각형의 외각의 합)=360°

**정다각형의 한 내각**  098쪽

(정$n$각형의 한 내각)
=$\dfrac{180°×(n-2)}{n}$

**정다각형의 한 외각**  099쪽

(정$n$각형의 한 외각)=$\dfrac{360°}{n}$

**호**

A
O

호 AB

# 초고필

지금

# 도형의
# 각도

를 해야 할 때

# 구성과 특징

**이번에 학습할 용어**

이번 학습 주제에서 처음 나오는
용어 목록입니다.

**초등 개념과 중등 개념 연결**

중등 개념과 연결된 초등 개념을
통해 중등 개념을 쉽게 이해할 수
있습니다.

**용어 설명**

어려운 용어와
앞에서 배운 수학 용어의
뜻입니다.

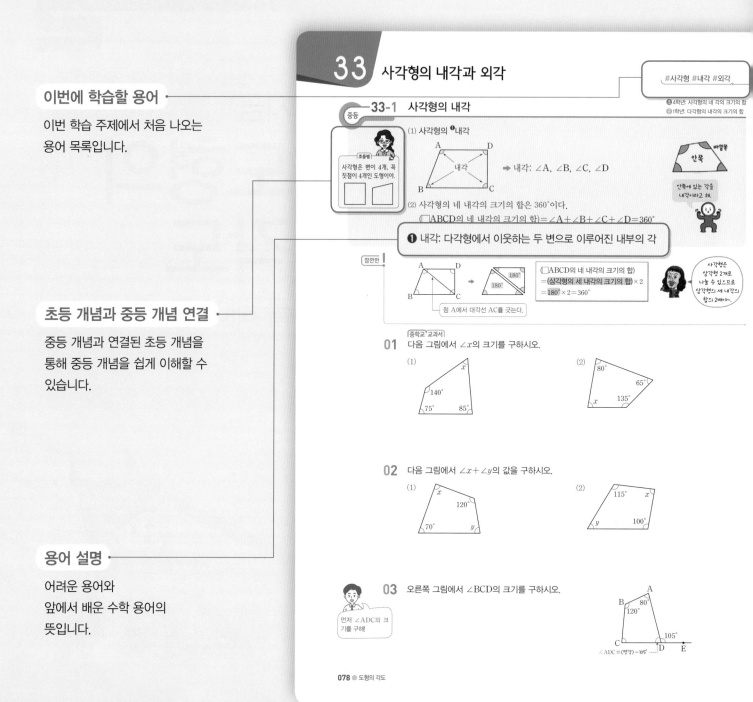

## 33 사각형의 내각과 외각

#사각형 #내각 #외각

❹ 4학년: 사각형의 네 각의 크기의 합
❺ 1학년: 다각형의 내각의 크기의 합

### 중등 33-1 사각형의 내각

초등생
사각형은 변이 4개, 꼭
짓점이 4개인 도형이야.

(1) 사각형의 ❶내각

→ 내각: ∠A, ∠B, ∠C, ∠D

안쪽에 있는 각을
내각이라고 해.

(2) 사각형의 네 내각의 크기의 합은 360°이다.
(□ABCD의 네 내각의 크기의 합)=∠A+∠B+∠C+∠D=360°

❶ 내각: 다각형에서 이웃하는 두 변으로 이루어진 내부의 각

잠깐만

(□ABCD의 네 내각의 크기의 합)
=(삼각형의 세 내각의 크기의 합)×2
=180°×2=360°

점 A에서 대각선 AC를 긋는다.

사각형은
삼각형 2개로
나눌 수 있으므로
삼각형의 세 내각의
합의 2배야.

**중학교 교과서**

**01** 다음 그림에서 ∠x의 크기를 구하시오.

(1)
x
140°
75°  85°

(2)
80°
65°
x  135°

**02** 다음 그림에서 ∠x+∠y의 값을 구하시오.

(1)
x
120°
70°  y

(2)
115°  x
y  100°

**03** 오른쪽 그림에서 ∠BCD의 크기를 구하시오.

먼저 ∠ADC의 크
기를 구해!

A
B 80°
120°
C
105°
D  E
∠ADC=(평각)−105°

078 ● 도형의 각도

초고필 수학으로
중등 수학을 쉽게
공부하는 방법은?

첫째, 25일 완성 계획 세우기
둘째, 개념이 쉬워지는 동영상 강의로 개념 이해하기
셋째, 문제 풀기
넷째, TEST로 실력 확인하기

중등 수학은 문자, 기호, 용어를
많이 사용하기 때문에 어렵습니다. 중학교 가기 전에
미리, 쉽고, 빠르게 초고필 도형의 각도로 공부하세요.

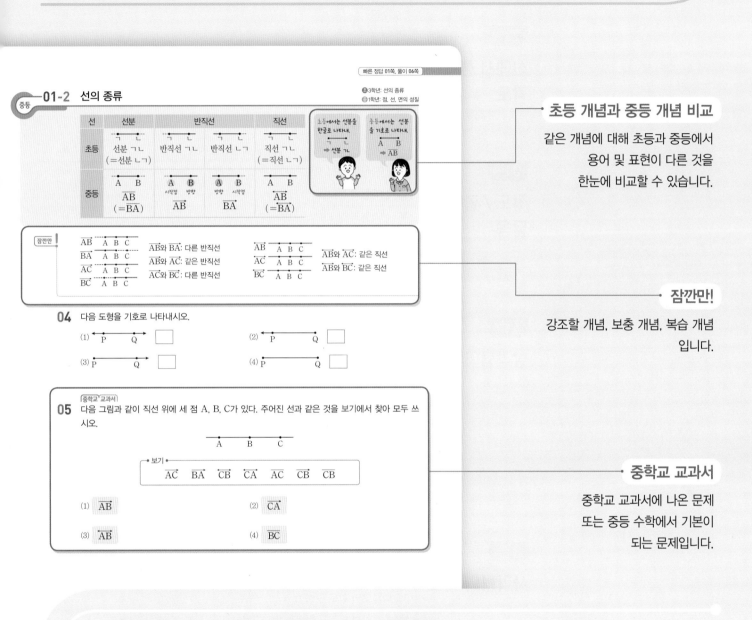

중등 **01-2 선의 종류**

3학년: 선의 종류
1학년: 점, 선, 면의 성질

**초등 개념과 중등 개념 비교**
같은 개념에 대해 초등과 중등에서
용어 및 표현이 다른 것을
한눈에 비교할 수 있습니다.

**잠깐만!**
강조할 개념, 보충 개념, 복습 개념
입니다.

**04** 다음 도형을 기호로 나타내시오.

(1) P Q
(2) P Q
(3) P Q
(4) P Q

중학교 교과서

**05** 다음 그림과 같이 직선 위에 세 점 A, B, C가 있다. 주어진 선과 같은 것을 보기에서 찾아 모두 쓰시오.

A B C

보기
$\overrightarrow{AC}$  $\overrightarrow{BA}$  $\overrightarrow{CB}$  $\overrightarrow{CA}$  $\overline{AC}$  $\overrightarrow{CB}$  $\overleftrightarrow{CB}$

(1) $\overrightarrow{AB}$
(2) $\overrightarrow{CA}$
(3) $\overleftrightarrow{AB}$
(4) $\overline{BC}$

**중학교 교과서**
중학교 교과서에 나온 문제
또는 중등 수학에서 기본이
되는 문제입니다.

**무료 스마트러닝 ▶ 개념 동영상 강의**     **확인 학습**

교재의 표지 또는 단계별 시작 페이지에 있는
QR코드를 찍으면 개념이 쉬워지는 동영상 강
의를 볼 수 있습니다.

**실력 확인 TEST**
각 단계의 학습이 끝난 후 해당 단
계를 잘 공부했는지 점검합니다.

**성취도 확인 평가 (4회)**
모든 학습이 끝난 후 잘 공부했
는지 성취도를 확인합니다.

# 차례

# 1단계

# 각의 개념과 성질

개념 동영상 강의

## 중등 01-1 교점

🔵1학년: 점, 선, 면의 성질

• 교점: 선과 선 또는 선과 면이 만나서 생기는 점

 교점

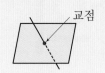 교점

초등에서는 점을 한글로 나타내.
ㄱ ➡ 점 ㄱ
중등에서는 점을 알파벳으로 나타내
A ➡ 점 A

잠깐만!

점이 연속하여 움직인 자리는 선이 돼.

점 ➡ 선

선은 수없이 많은 점으로 이루어져 있다.

**01** 다음 설명 중 옳은 것에는 ○표, 옳지 않은 것에는 ×표 하시오.

(1) 선과 선이 만날 때 교점이 생긴다. (        )

(2) 선과 면이 만날 때 교점이 생긴다. (        )

(3) 선에는 점이 없다. (        )

(4) 점이 연속하여 움직인 자리는 선이 된다. (        )

중학교 교과서
**02** 다음 도형에서 교점의 개수를 구하시오.
↳ 선과 선이 만나서 생기는 점

(1)

(2)

(3)

(4)

**03** 다음 도형 중 교점이 많은 것부터 차례로 기호를 쓰시오.

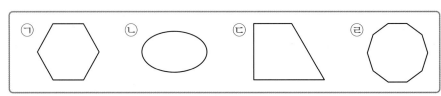

## 중등 01-2 선의 종류

| 선 | 선분 | 반직선 | | 직선 |
|---|---|---|---|---|
| 초등 | 선분 ㄱㄴ (=선분 ㄴㄱ) | 반직선 ㄱㄴ | 반직선 ㄴㄱ | 직선 ㄱㄴ (=직선 ㄴㄱ) |
| 중등 | A B $\overline{AB}$ (=$\overline{BA}$) | A B 시작점 방향 $\overrightarrow{AB}$ | A B 방향 시작점 $\overrightarrow{BA}$ | A B $\overleftrightarrow{AB}$ (=$\overleftrightarrow{BA}$) |

초등에서는 선분을 한글로 나타내.
→ 선분 ㄱㄴ

중등에서는 선분을 기호로 나타내.
A B
→ $\overline{AB}$

잠깐만 !

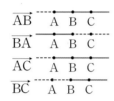

$\overrightarrow{AB}$와 $\overrightarrow{BA}$: 다른 반직선
$\overrightarrow{AB}$와 $\overrightarrow{AC}$: 같은 반직선
$\overrightarrow{AC}$와 $\overrightarrow{BC}$: 다른 반직선

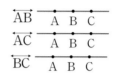

$\overleftrightarrow{AB}$와 $\overleftrightarrow{AC}$: 같은 직선
$\overleftrightarrow{AB}$와 $\overleftrightarrow{BC}$: 같은 직선

**04** 다음 도형을 기호로 나타내시오.

(1) ← P ─ Q → [ ]

(2) ← P ─── Q [ ]

(3) P ─ Q → [ ]

(4) P ─── Q [ ]

중학교 교과서

**05** 다음 그림과 같이 직선 위에 세 점 A, B, C가 있다. 주어진 선과 같은 것을 보기에서 찾아 모두 쓰시오.

A ─── B ─── C

┌ 보기 ─────────────────────────┐
$\overrightarrow{AC}$   $\overrightarrow{BA}$   $\overrightarrow{CB}$   $\overrightarrow{CA}$   $\overline{AC}$   $\overline{CB}$   $\overleftrightarrow{CB}$
└───────────────────────────────┘

(1) $\overrightarrow{AB}$

(2) $\overrightarrow{CA}$

(3) $\overleftrightarrow{AB}$

(4) $\overline{BC}$

중학교 교과서

**06** 다음 그림과 같이 어느 세 점도 한 직선 위에 있지 않은 네 점 A, B, C, D가 있다. 이 중 두 점을 지나는 직선의 개수를 구하시오.

각 점에서 그을 수 있는 직선을 모두 그어 봐!

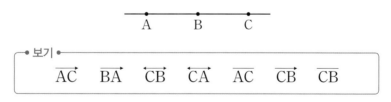

B
A
D
C

# 02 각

#평각 #직각 #예각 #둔각

## 중등 02-1 각

초 3학년: 각
중 1학년: 각의 뜻과 성질

• 각 AOB를 기호로 나타내기

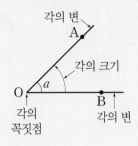

기호  $\angle AOB = \angle BOA = \angle O = \angle a$

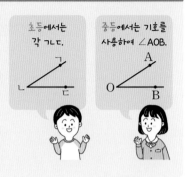

**01** 각을 보고 잘못 설명한 것의 기호를 쓰시오.

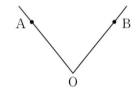

㉠ 각의 꼭짓점은 점 O이다.
㉡ 각의 변은 2개이다.
㉢ 각을 기호로 나타내면 ∠OAB이다.

중학교 교과서

**02** 다음 그림에서 각을 점 A, B, C, D를 사용하여 각각 나타내시오.

(1)
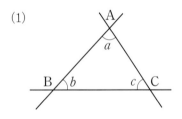

$\angle a = \boxed{\angle BAC} = \boxed{\angle CAB}$

$\angle b = \boxed{\phantom{XXX}} = \boxed{\phantom{XXX}}$

$\angle c = \boxed{\phantom{XXX}} = \boxed{\phantom{XXX}}$

(2)
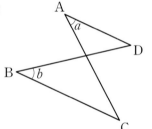

$\angle a = \boxed{\phantom{XXX}} = \boxed{\phantom{XXX}}$

$\angle b = \boxed{\phantom{XXX}} = \boxed{\phantom{XXX}}$

**03** 다음 그림에서 주어진 각의 크기를 구하시오.

(1)　　　　　　　　　　　∠COD:
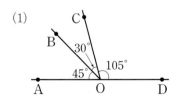

(2)　　　　　　　　　　　∠AOD:
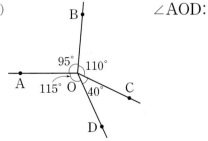

## 중등 ─02-2 여러 가지 각

초 4학년: 각도
중 1학년: 각의 뜻과 성질

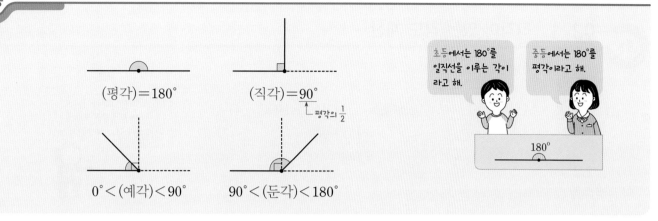

**04** 다음 각을 평각, 직각, 예각, 둔각으로 분류하시오.

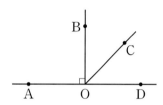

(1) ∠AOB:                    (2) ∠AOC:

(3) ∠BOC:                    (4) ∠BOD:

(5) ∠COD:                    (6) ∠AOD:

**05** 다음에 알맞은 각도를 보기에서 찾아 모두 쓰시오.

● 보기 ●

| 45° | 135° | 20° | 150° |
| 200° | 180° | 360° | 70° |

(1) 예각:                    (2) 둔각:

중학교 교과서

**06** 다음 중 항상 둔각인 것을 고르면?

① (예각)+(예각)              ② (직각)+(예각)

③ (직각)+(둔각)              ④ (평각)-(직각)

⑤ (평각)-(둔각)

・예각: 0°보다 크고
  90°보다 작은 각
・둔각: 90°보다 크고
  180°보다 작은 각

# 03 직각, 평각이 있는 각도 계산

## 중등 03-1 직각이 있는 각도 계산

초4학년: 각도의 합과 차
중1학년: 각의 뜻과 성질

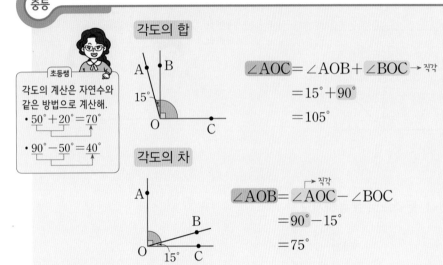

**초등쌤**
각도의 계산은 자연수와
같은 방법으로 계산해.
• $50° + 20° = 70°$
• $90° - 50° = 40°$

**각도의 합**

$$\angle AOC = \angle AOB + \angle BOC \rightarrow \text{직각}$$
$$= 15° + 90°$$
$$= 105°$$

**각도의 차**

$$\angle AOB = \angle AOC - \angle BOC$$
$$= 90° - 15°$$
$$= 75°$$

도형에서 직각은 ⌐로
나타내. 직각은 90°임을
이용하여 각도 계산을 해 봐!

**01** 다음 그림에서 $\angle x$의 크기를 구하시오.

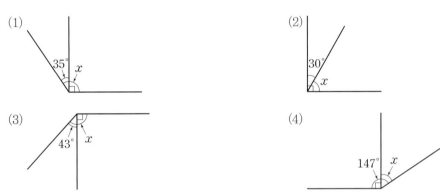

(1) $35°$ $x$

(2) $30°$ $x$

(3) $43°$ $x$

(4) $147°$ $x$

**02** 다음 그림에서 $\angle AOC = 90°$, $\angle COD = 30°$이고, $\angle AOB = \angle BOC$일 때, $\angle BOD$의 크기를 구하시오.

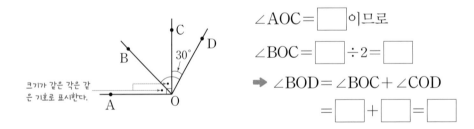

크기가 같은 각은 같은 기호로 표시한다.

$\angle AOC = \boxed{\phantom{00}}$이므로

$\angle BOC = \boxed{\phantom{00}} \div 2 = \boxed{\phantom{00}}$

➡ $\angle BOD = \angle BOC + \angle COD$
$= \boxed{\phantom{00}} + \boxed{\phantom{00}} = \boxed{\phantom{00}}$

중학교 교과서

**03** 오른쪽 그림에서 $\angle BOC = 35°$, $\angle AOC = \angle BOD = 90°$일 때, $\angle AOD$의 크기를 구하시오.

먼저 $\angle AOB$의 크기를 구해.

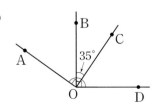

$35°$

🔵 4학년: 각도의 합과 차
🔴 1학년: 각의 뜻과 성질

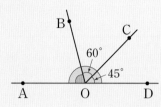

$\angle AOB$ ←평각
$= \angle AOD - \angle BOC - \angle COD$
$= 180° - 60° - 45°$
$= 75°$

평각은 그림에서 각도가
주어지지 않아.
(평각)=180°임을 이용하여
각도 계산을 해 봐!

**04** 다음 그림에서 $\angle x$의 크기를 구하시오.

(1)
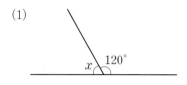

(2)
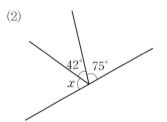

(3)
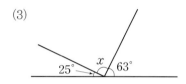

(4)
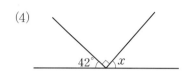

**05** 다음 그림에서 $\angle AOB = 60°$이고, $\angle BOC = \angle COD = \angle DOE$일 때, $\angle COD$의 크기를 구하시오.

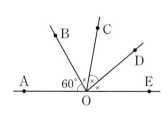

$\angle BOE = \angle AOE - \angle AOB$

$= \boxed{\phantom{00}} - \boxed{\phantom{00}}$

$= \boxed{\phantom{00}}$

➡ $\angle COD = \boxed{\phantom{00}} \div 3 = \boxed{\phantom{00}}$

$\angle AOB$
$= \angle AOD - \angle BOD$

중학교 교과서

**06** 오른쪽 그림에서 $\angle AOC = \angle BOD = 115°$일 때, $\angle BOC$의 크기를 구하시오.

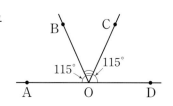

# 04 직선이 만날 때 생기는 각

## 중등 04-1 교각 / 맞꼭지각

중 1학년: 각의 뜻과 성질

(1) 교각: 두 직선이 한 점에서 만날 때 생기는 4개의 각

　　➡ $\angle a$, $\angle b$, $\angle c$, $\angle d$

(2) 맞꼭지각: 두 직선이 한 점에서 만날 때 생기는 4개의 각 중 서로 마

　　주 보는 두 각　　　└➤교각

　　➡ $\angle a$와 $\angle c$, $\angle b$와 $\angle d$

　　　맞꼭지각　　　맞꼭지각

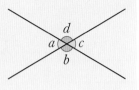

중학교 교과서

**01** 다음 그림에서 주어진 각을 구하시오.

(1)

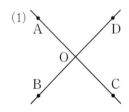

$\overleftrightarrow{AC}$와 $\overleftrightarrow{BD}$의 교각:

(2)

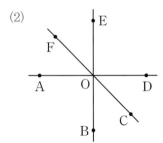

∠AOF의 맞꼭지각:

∠AOC의 맞꼭지각:

## 중등 04-2 맞꼭지각의 성질

중 1학년: 각의 뜻과 성질

맞꼭지각의 크기는 서로 같다.

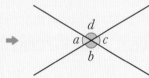

$\angle a$의 맞꼭지각: $\angle c$ ➡ $\angle a = \angle c$

$\angle b$의 맞꼭지각: $\angle d$ ➡ $\angle b = \angle d$

잠깐만!

$180° - \angle a$와 $180° - \angle c$는 같은 각이야.

$180° - \angle a = 180° - \angle c$

➡ $\angle a = \angle c$

$\angle a = \angle c$ 즉, 마주 보는 두 각의 크기는 서로 같아!

**02** 다음 그림에서 $\angle a$, $\angle b$의 크기를 각각 구하시오.

(1)

$\angle a =$ 　　, $\angle b =$ 　　

(2)

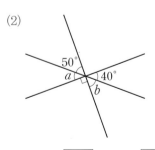

$\angle a =$ 　　, $\angle b =$

**03** 다음 그림에서 $\angle x$, $\angle y$의 크기를 각각 구하시오.

(1)

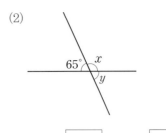

$\angle x = \boxed{\phantom{00}}$

$\angle y = 180° - \boxed{\phantom{00}} = \boxed{\phantom{00}}$

(2)

$\angle x = \boxed{\phantom{00}}$, $\angle y = \boxed{\phantom{00}}$

**04** 다음 그림에서 주어진 각의 크기를 구하시오.

(1)

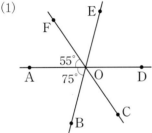

$\angle EOD = \boxed{\phantom{00}}$, $\angle BOC = \boxed{\phantom{00}}$

(2)

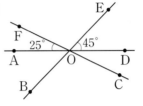

$\angle AOB = \boxed{\phantom{00}}$, $\angle FOE = \boxed{\phantom{00}}$

(3)

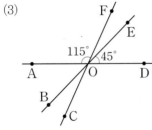

$\angle COD = \boxed{\phantom{00}}$, $\angle FOE = \boxed{\phantom{00}}$

(4)

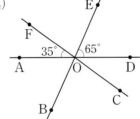

$\angle COD = \boxed{\phantom{00}}$, $\angle BOC = \boxed{\phantom{00}}$

중학교 교과서

**05** 오른쪽 그림에서 $\angle x - \angle y$의 값을 구하시오.

먼저 맞꼭지각의 크기는 서로 같다는 것을 이용하여 $\angle y$의 크기를 구해!

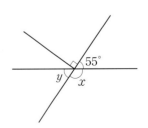

# 05 수직

## 중등 05-1 수직과 수선

초 4학년: 수직
중 1학년: 각의 뜻과 성질

(1) 수직, 직교

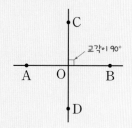

$\overleftrightarrow{AB}$와 $\overleftrightarrow{CD}$의 ❶교각이 직각(90°)일 때
➡ [ $\overleftrightarrow{AB}$와 $\overleftrightarrow{CD}$: 서로 수직이다.
$\overleftrightarrow{AB}$와 $\overleftrightarrow{CD}$: 서로 직교한다.

기호 $\overleftrightarrow{AB} \perp \overleftrightarrow{CD}$

초등에서는 수직이라고 해!

중등에서는 수직과 직교 모두 사용하고, 기호(⊥)를 사용해.

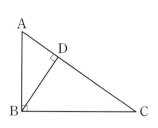

(2) 수선

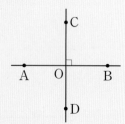

$\overleftrightarrow{AB}$와 $\overleftrightarrow{CD}$가 서로 수직일 때
➡ [ $\overleftrightarrow{AB}$는 $\overleftrightarrow{CD}$의 수선이다.
$\overleftrightarrow{CD}$는 $\overleftrightarrow{AB}$의 수선이다.

❶ 교각: 두 직선이 한 점에서 만날 때 생기는 4개의 각

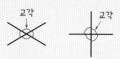

**01** (중학교 교과서) 오른쪽 그림을 보고 물음에 답하시오.

(1) $\overleftrightarrow{PQ}$의 수선을 쓰시오.

(2) $\overleftrightarrow{PQ}$와 $\overleftrightarrow{RS}$의 관계를 기호로 나타내시오.

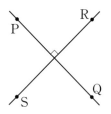

**02** 오른쪽 그림을 보고 옳은 것에는 ○표, 옳지 않은 것에는 ×표 하시오.

(1) $\overline{AB}$와 $\overline{AC}$는 직교한다. (          )

(2) $\overline{AB} \perp \overline{BC}$ (          )

(3) $\overline{BD} \perp \overline{AC}$ (          )

(4) $\overline{BD}$의 수선은 $\overline{CD}$이다. (          )

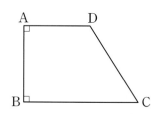

**03** 오른쪽 그림에서 $\overline{AB}$에 수직인 변을 모두 찾아 쓰시오.

## 05-2 두 직선이 수직으로 만날 때 각도 구하기

중등

😊 1학년: 각의 뜻과 성질

예 $\overrightarrow{AB}\perp\overrightarrow{CD}$일 때, $\angle x$의 크기 구하기

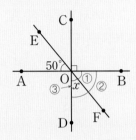

① 맞꼭지각의 크기는 서로 같으므로

$\angle BOF = \angle AOE = 50°$

② $\overrightarrow{AB}\perp\overrightarrow{CD}$이므로 $\angle BOD = 90°$

③ $\angle x = \angle BOD - \angle BOF \leftarrow$ ②-①

$= 90° - 50° = \mathbf{40°}$

$\overrightarrow{AB}\perp\overrightarrow{CD}$일 때, $\overrightarrow{AB}$와 $\overrightarrow{CD}$가 만나서 이루는 각도는 직각(90°)이야.

**04** 다음 그림에서 $\overrightarrow{AB}\perp\overrightarrow{CD}$일 때, $\angle x$, $\angle y$의 크기를 각각 구하시오.

(1)
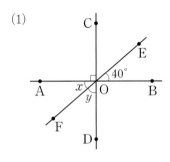

$\angle x = $ ☐ , $\angle y = $ ☐

(2)
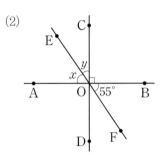

$\angle x = $ ☐ , $\angle y = $ ☐

**05** 다음 그림에서 $\overline{AB}\perp\overline{OC}$일 때, 주어진 각의 크기를 구하시오.

(1)
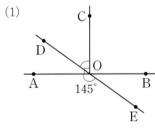

$\angle DOC:$

(2)
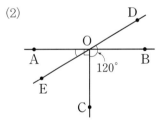

$\angle AOE:$

중학교 교과서

**06** 오른쪽 그림에서 $\overline{AB}\perp\overline{CD}$이고, $\angle EOB = 75°$일 때, $\angle x - \angle y$의 값을 구하시오.

$\overline{AB}\perp\overline{CD}$임을 이용하여 $\angle AOD$의 크기를 구해.

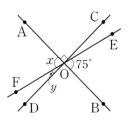

**01** 다음 도형에서 교점의 개수를 구하시오.

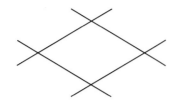

**[02~03]** 다음 도형을 기호로 나타내시오.

**02**

A ————————— B

**03**

A ————————— B

**04** 다음 그림에서 직선 위에 네 점 A, B, C, D가 있다. $\overrightarrow{AB}$와 같은 것을 모두 찾아 기호를 쓰시오.

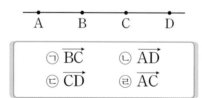

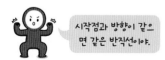

시작점과 방향이 같으면 같은 반직선이야.

**05** 다음 그림에서 각을 점 A, B, C, D를 사용하여 각각 나타내시오.

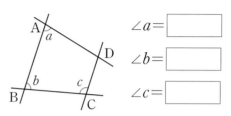

∠a= ☐

∠b= ☐

∠c= ☐

**06** 다음 그림에서 ∠COD의 크기를 구하시오.

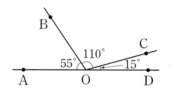

**07** 오른쪽 그림에서 각을 평각, 직각, 예각, 둔각으로 분류하시오.

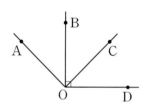

| ∠AOB | ∠AOD | ∠BOD |
|---|---|---|
| | | |

**[08~09]** 알맞은 각도를 보기에서 모두 찾아 쓰시오.

┌ 보기 ┐
| | | |
|---|---|---|
| 60° | 120° | 155° |
| 180° | 90° | 15° |

**08** 예각

**09** 둔각

**10** 항상 예각인 것을 찾아 기호를 쓰시오.

> ㉠ (예각)＋(예각)
> ㉡ (직각)＋(예각)
> ㉢ (평각)－(둔각)

**[11~12]** 다음 그림에서 ∠$x$의 크기를 구하시오.

**11**
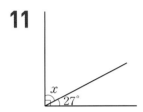

**12**

**[13~14]** 다음 그림을 보고 물음에 답하시오.

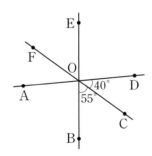

**13** ∠EOD의 맞꼭지각을 쓰시오.

**14** ∠AOF의 크기를 구하시오.

**[15~16]** 다음 그림을 보고 물음에 답하시오.

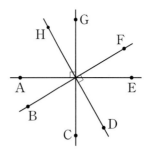

**15** $\overleftrightarrow{AE}$와 $\overleftrightarrow{CG}$의 관계를 기호로 나타내시오.

**16** $\overleftrightarrow{DH}$의 수선을 구하시오.

**[17~18]** 다음 그림에서 ∠$x$, ∠$y$의 크기를 각각 구하시오.

**17**
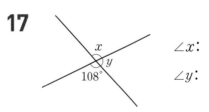

∠$x$:

∠$y$:

**18**
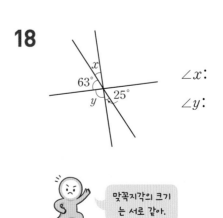

∠$x$:

∠$y$:

맞꼭지각의 크기
는 서로 같아.

**19** 다음 그림에서 ∠AOB＝∠BOC＝∠COD일 때, ∠COE의 크기를 구하시오.

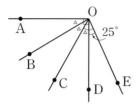

**20** 다음 그림에서 $\overline{AB} \perp \overline{CD}$일 때, ∠COE의 크기를 구하시오.

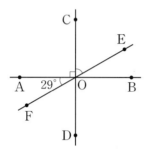

**21** 다음 그림에서 $\overline{AB} \perp \overline{OD}$일 때, ∠COD의 크기를 구하시오.

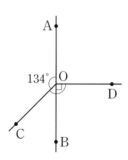

**22** 다음 그림에서 ∠AOD＝140°일 때, ∠BOC의 크기를 구하시오.

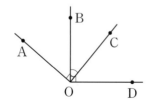

**23** 다음 그림에서 $\overline{AB} \perp \overline{CO}$일 때, ∠COD의 크기를 구하시오.

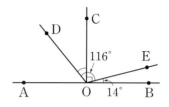

**24** 다음 그림에서 ∠$x$＋∠$y$의 값을 구하시오.

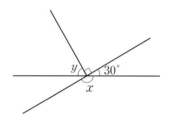

**25** 다음 그림에서 $\overline{AB} \perp \overline{CD}$일 때, ∠$y$－∠$x$의 값을 구하시오.

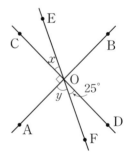

$\overline{AB} \perp \overline{CD}$일 때, $\overline{AB}$와 $\overline{CD}$가 만나서 이루는 각도는 90°야.

# 2 단계

# 선에서 생기는 각도

개념 동영상 강의

# 07 평행

## 07-1 두 직선의 관계

[한 점에서 만난다.]   [평행하다.]   [일치한다.]

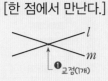
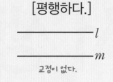
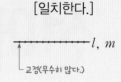

교점(1개)   교점이 없다.   교점(무수히 많다.)

❶ 교점: 선과 선 또는 선과 면이 만나서 생기는 점

잠깐만

직선은 다음과 같이 두 가지로 나타낼 수 있어~.

[두 점으로 나타낸 경우]   [알파벳 소문자로 나타낸 경우]

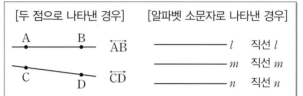

A   B   $\overleftrightarrow{AB}$   $l$   직선 $l$
C   D   $\overleftrightarrow{CD}$   $m$   직선 $m$
$n$   직선 $n$

알파벳 소문자로 나타낸 직선은 직선 기호 (↔)를 사용하지 않아!

**01** 오른쪽 그림에서 직선 $l$과 직선 $m$은 서로 만나지 않는다. 잘못 설명한 것을 찾아 기호를 쓰시오.

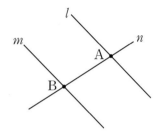

㉠ 직선 $l$과 직선 $n$은 점 A에서 만난다.
㉡ 직선 $l$과 직선 $m$은 평행하다.
㉢ 직선 $m$과 직선 $n$은 교점이 무수히 많다.

## 07-2 평행

$l$
$m$
➡ $l /\!/ m$

• 평행: 서로 만나지 않는 두 직선

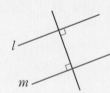
$l$
$m$

한 직선에 수직인 두 직선은 서로 만나지 않는다.
➡ 두 직선 $l$과 $m$은 서로 평행하다.

**기호** $l /\!/ m$

초등과 중등 모두 똑같이 평행!

중등에서는 평행 기호를 사용해. ➡ $/\!/$

**02** 다음 그림을 보고 ☐ 안에 ⊥와 $/\!/$ 중 알맞은 기호를 써넣으시오.

→ 수직

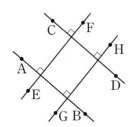
C   F
H
A
D
E
G B

(1) $\overline{AB}$ ☐ $\overline{EF}$

(2) $\overline{AB}$ ☐ $\overline{CD}$

(3) $\overline{CD}$ ☐ $\overline{GH}$

(4) $\overline{EF}$ ☐ $\overline{GH}$

**03** 오른쪽 그림의 사각형에서 다음을 각각 모두 찾아 쓰시오.

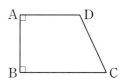

(1) $\overline{AD}$와 한 점에서 만나는 변:

(2) $\overline{AB}$와 수직인 변:

(3) $\overline{AD}$와 평행한 변:

**04** 오른쪽 그림의 직사각형에서 서로 평행한 변은 몇 쌍인지 구하시오.

**05** 오른쪽 그림에서 사각형 ABCD는 평행사변형이다. □ 안에 ⊥와 ∥ 중 알맞은 기호를 써넣으시오.

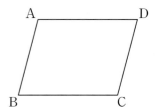

(1) $\overline{AB}$  $\overline{DC}$       (2) $\overline{AD}$ 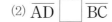 $\overline{BC}$

**06** 서로 다른 세 직선 $l$, $m$, $n$에 대하여 $l \parallel m$, $l \perp n$일 때, 직선 $m$과 직선 $n$을 각각 그리고, 직선 $m$과 직선 $n$의 관계를 ⊥ 또는 ∥로 나타내시오.

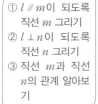

① $l \parallel m$이 되도록 직선 $m$ 그리기
② $l \perp n$이 되도록 직선 $n$ 그리기
③ 직선 $m$과 직선 $n$의 관계 알아보기

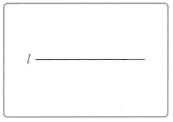

$l$ ————

**07** 서로 다른 세 직선 $l$, $m$, $n$에 대하여 옳은 것에는 ○표, 옳지 않은 것에는 ×표 하시오. (단, 세 직선 $l$, $m$, $n$은 한 평면 위에 있다.)

(1) $l \perp m$, $m \parallel n$이면 $l \parallel n$이다. (      )     (2) $l \parallel m$, $m \parallel n$이면 $l \parallel n$이다. (      )

# 08 동위각 / 엇각

## 중등 08-1 동위각

동위각은 알파벳
F 모양으로
찾아봐~!

• 동위각: 두 직선이 다른 한 직선과 만날 때 생기는 8개의 각 중 같은 위치에 있는 각

 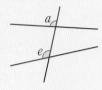 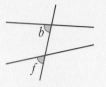  

8개의 각     $\angle a$와 $\angle e$     $\angle b$와 $\angle f$     $\angle c$와 $\angle g$     $\angle d$와 $\angle h$

중학교 교과서

**01** 오른쪽 그림에서 다음을 각각 구하시오.

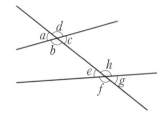

(1) $\angle a$의 동위각:

(2) $\angle h$의 동위각:

(3) $\angle c$의 동위각:

(4) $\angle f$의 동위각:

**02** 오른쪽 그림과 같이 세 직선이 만날 때, 다음 각의 크기를 각각 구하시오.

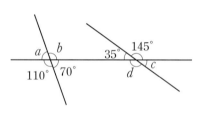

(1) $\angle a$의 동위각의 크기:

(2) $\angle b$의 동위각의 크기:

(3) $\angle c$의 동위각의 크기:

(4) $\angle d$의 동위각의 크기:

**03** 오른쪽 그림과 같이 세 직선 $l$, $m$, $n$이 만날 때, $\angle b$의 동위각을 모두 구하시오.

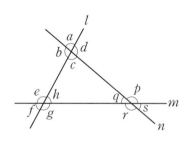

**04** 오른쪽 그림에서 $\angle AGE$의 동위각의 크기를 구하시오.

$\angle AGE$의 동위각을 찾은 후 (평각)=180°임을 이용하여 각의 크기를 구해.

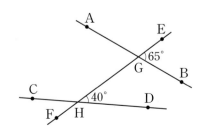

## 중등 08-2 엇각

중1학년: 평행선의 성질

• 엇각: 두 직선이 다른 한 직선과 만날 때 생기는 8개의 각 중 엇갈린 위
  치에 있는 각

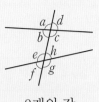 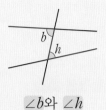

8개의 각     ∠b와 ∠h     ∠c와 ∠e

엇각은 알파벳
Z 모양으로 찾아봐~!

[중학교 교과서]

**05** 그림에서 다음을 각각 구하시오.

(1)

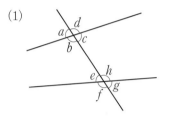

∠b의 엇각:

(2)

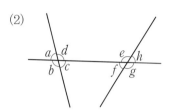

∠d의 엇각:

**06** 오른쪽 그림과 같이 세 직선이 만날 때, 엇각끼리 짝 지어진 것을 고
르면?

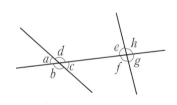

① ∠b와 ∠f       ② ∠d와 ∠h

③ ∠e와 ∠g       ④ ∠c와 ∠e

⑤ ∠c와 ∠g

**07** 오른쪽 그림과 같이 세 직선 $l$, $m$, $n$이 만날 때, ∠p의 엇각을 모
두 구하시오.

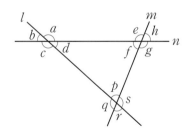

**08** 오른쪽 그림에 대한 설명으로 옳은 것을 모두 찾아 기호를 쓰시오.

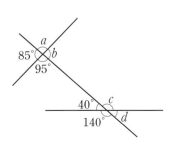

┌─────────────────────────────┐
│ ㉠ ∠b의 엇각은 ∠d이다.
│ ㉡ ∠b의 엇각의 크기는 40°이다.
│ ㉢ ∠b와 ∠d의 크기는 같다.
│ ㉣ ∠c의 엇각의 크기는 95°이다.
└─────────────────────────────┘

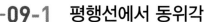

# 09 평행선에서 각도 구하기 (1)

#동위각

**중등** **09-1** **평행선에서 동위각**

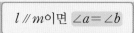
초 4학년: 평행
중 1학년: 평행선의 성질

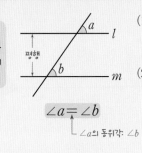

동위각은 두 직선이 다른 한 직선과 만날 때 같은 위치에 있는 각이야~.

(1) 두 직선이 평행할 때 동위각의 크기는 서로 같다. → $l /\!/ m$이면 $\angle a = \angle b$

(2) 동위각의 크기가 같으면 두 직선은 서로 평행하다. → $\angle a = \angle b$이면 $l /\!/ m$

$\angle a = \angle b$

$\angle a$의 동위각: $\angle b$

**잠깐만!**

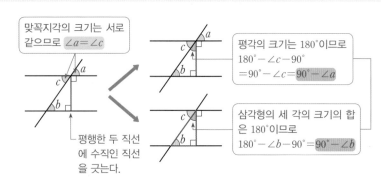

맞꼭지각의 크기는 서로 같으므로 $\angle a = \angle c$

평행한 두 직선에 수직인 직선을 긋는다.

평각의 크기는 180°이므로
$180° - \angle c - 90°$
$= 90° - \angle c = 90° - \angle a$

삼각형의 세 각의 크기의 합은 180°이므로
$180° - \angle b - 90° = 90° - \angle b$

$90° - \angle a = 90° - \angle b$
$\Rightarrow \angle a = \angle b$

---

**01** 다음 그림에서 $l /\!/ m$일 때, 다음 각의 크기를 각각 구하시오.

직선 $l$과 직선 $m$이 서로 평행

(1)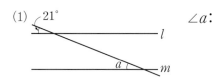
∠$a$:

(2)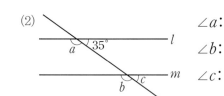
∠$a$:
∠$b$:
∠$c$:

---

**중학교 교과서**

**02** 다음 그림에서 $l /\!/ m$, $n /\!/ p$일 때, 다음 각의 크기를 각각 구하시오.

(1)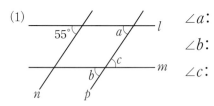
∠$a$:
∠$b$:
∠$c$:

(2)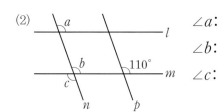
∠$a$:
∠$b$:
∠$c$:

---

**03** 오른쪽 그림에서 직선 $m$과 직선 $n$ 중 직선 $l$과 평행한 직선을 쓰시오.

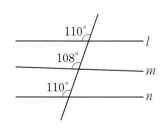

## 09-2 두 직선이 평행할 때 각도 구하기

초 4학년: 평행
중 1학년: 평행선의 성질

⑨ $l /\!/ m$일 때, $\angle x$, $\angle y$의 크기 각각 구하기

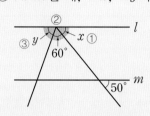

① $l /\!/ m$이므로 동위각의 크기는 서로 같다.
➡ $\angle x = 50°$
② (평각)$=180°$이므로
③ $\angle y = 180° - 60° - \angle x$
$= 180° - 60° - 50° = 70°$

먼저 평행선의 성질을 이용하여 $\angle x$의 크기를 구해!

**04** 다음 그림에서 $l /\!/ m$일 때, $\angle x$, $\angle y$의 크기를 각각 구하시오.

(1)
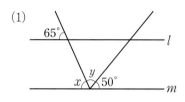

$\angle x = \boxed{\phantom{00}}$

$\angle y = 180° - \boxed{\phantom{00}} - \boxed{\phantom{00}} = \boxed{\phantom{00}}$

(2)
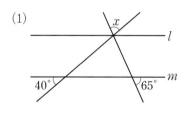

$\angle x = \boxed{\phantom{00}}$, $\angle y = \boxed{\phantom{00}}$

중학교 교과서

**05** 다음 그림에서 $l /\!/ m$일 때, $\angle x$의 크기를 구하시오.

평행선에서 동위각의 크기는 서로 같다는 것을 이용하여 주어진 각과 크기가 같은 각을 찾아!

(1)
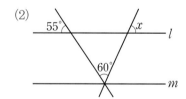

(2)

**06** 오른쪽 그림에서 $l /\!/ m$일 때, $\angle x - \angle y$의 값을 구하시오.

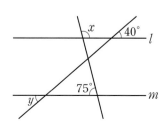

# 10 평행선에서 각도 구하기 (2)

#엇각

### 중등 10-1 평행선에서 엇각

초 4학년: 평행
중 1학년: 평행선의 성질

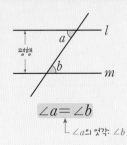

엇각은 두 직선이 다른 한 직선과 만날 때 엇갈린 위치에 있는 각이야~.

(1) 두 직선이 평행할 때 엇각의 크기는 서로 같다.

→ $l /\!/ m$이면 $\angle a = \angle b$

(2) 엇각의 크기가 같으면 두 직선은 서로 평행하다.

→ $\angle a = \angle b$이면 $l /\!/ m$

$\angle a = \angle b$
$\angle a$의 엇각: $\angle b$

잠깐만!

$\angle a = \angle c$이고, $\angle b = \angle c$이므로 $\angle a = \angle b$야.

동위각이므로 $\angle a = \angle c$

맞꼭지각이므로 $\angle b = \angle c$

아하~. 그래서 평행선에서는 엇각의 크기가 서로 같구나!

---

**01** 다음 그림에서 $l /\!/ m$일 때, 다음 각의 크기를 각각 구하시오.

(1)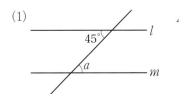

$\angle a$:

(2)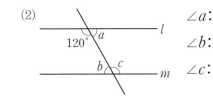

$\angle a$:

$\angle b$:

$\angle c$:

---

중학교 교과서

**02** 다음 그림에서 $l /\!/ m$, $n /\!/ p$일 때, $\angle a$, $\angle b$, $\angle c$의 크기를 각각 구하시오.

(1)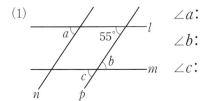

$\angle a$:

$\angle b$:

$\angle c$:

(2)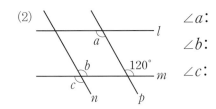

$\angle a$:

$\angle b$:

$\angle c$:

---

**03** 직선 $l$과 직선 $m$이 평행한 것을 찾아 기호를 쓰시오.

(ㄱ)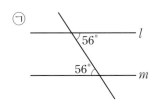

(ㄴ)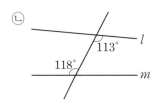

(ㄷ)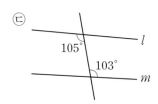

**026** 도형의 각도

## 10-2 두 직선이 평행할 때 각도 구하기

중등

최 4학년: 평행
중 1학년: 평행선의 성질

예 $l /\!/ m$일 때 $\angle x$, $\angle y$의 크기 각각 구하기

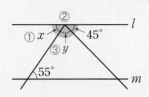

① $l /\!/ m$이므로 엇각의 크기는 서로 같다.
➡ $\angle x = 55°$
② (평각)$=180°$이므로
③ $\angle y = 180° - \angle x - 45°$
$= 180° - 55° - 45° = 80°$

먼저 $\angle x$의 엇각을 찾아 봐!

**04** 다음 그림에서 $l /\!/ m$일 때, $\angle x$, $\angle y$의 크기를 각각 구하시오.

(1)
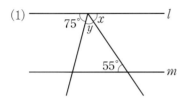

$\angle x = \boxed{\phantom{00}}$

$\angle y = 180° - \boxed{\phantom{00}} - \boxed{\phantom{00}} = \boxed{\phantom{00}}$

(2)
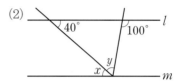

$\angle x = \boxed{\phantom{00}}$, $\angle y = \boxed{\phantom{00}}$

중학교 교과서

**05** 다음 그림에서 $l /\!/ m$일 때, $\angle x$의 크기를 구하시오.

두 직선이 평행할 때 동위각과 엇각의 크기는 각각 같다는 것을 이용해.

(1)
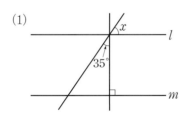

(2)
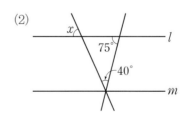

**06** 오른쪽 그림에서 $l /\!/ m$일 때, $\angle x + \angle y$의 값을 구하시오.

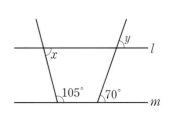

# 11 평행선에서 각도 구하기 (3)

### 중등 11-1 평행선에서 각도 구하기 – ●보조선 긋는 경우 (1)

초4학년: 평행
중1학년: 평행선의 성질

꺾인 부분을 지나고 두 직선에 평행한 직선을 그어.

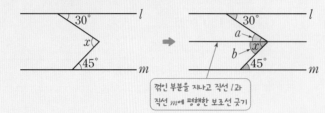

예 $l /\!/ m$일 때, $\angle x$의 크기 구하기 ← 엇각 이용

∠a의 엇각: 30° → ∠a=30°

∠b의 엇각: 45° → ∠b=45°

➡ ∠x=∠a+∠b
   =30°+45°=75°

● 보조선: 주어진 도형에는 없는 직선으로 문제를 푸는 데 도움을 주고자 추가로 넣는 직선

---

**01** 다음 그림에서 $l /\!/ m$일 때, $\angle x$의 크기를 구하는 과정이다. □ 안에 알맞게 써넣으시오.

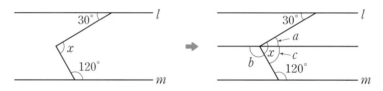

직선 $l$과 직선 $m$에 평행하도록 보조선을 그으면

$\angle a = \boxed{\phantom{00}}$ (엇각), $\angle b = \boxed{\phantom{00}}$ (엇각), $\angle c = 180° - \angle b = \boxed{\phantom{00}}$

➡ $\angle x = \angle a + \angle c = \boxed{\phantom{00}}$

---

중학교 교과서

**02** 다음 그림에서 $l /\!/ m$일 때, $\angle x$의 크기를 구하시오.

먼저 꺾인 부분을 지나고 직선 $l$과 직선 $m$에 평행한 보조선을 그어.

(1)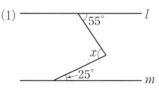

(2)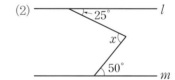

(3)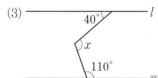

(4)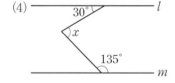

---

**03** 오른쪽 그림에서 $l /\!/ m$일 때, $\angle x$의 크기를 구하시오.

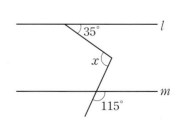

## 중등 11-2 평행선에서 각도 구하기 – 보조선 긋는 경우 (2)

초 4학년: 평행
중 1학년: 평행선의 성질

예 $l /\!/ m$일 때, $\angle x$의 크기 구하기 ← 동위각, 엇각 이용

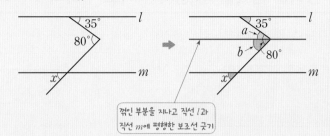

꺾인 부분을 지나고 직선 $l$과
직선 $m$에 평행한 보조선 긋기

$\angle a$의 엇각: $35° \rightarrow \angle a = 35°$

➡ $\angle b = 80° - \angle a$
$= 80° - 35° = 45°$

$\angle x$의 동위각: $\angle b$

➡ $\angle x = \angle b = 45°$

---

**04** 다음 그림에서 $l /\!/ m$일 때, $\angle x$의 크기를 구하는 과정이다. □ 안에 알맞게 써넣으시오.

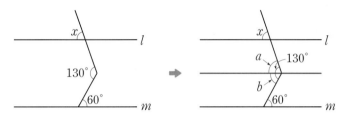

직선 $l$과 직선 $m$에 평행하도록 보조선을 그으면

$\angle b = \boxed{\phantom{00}}$ (엇각), $\angle a = 130° - \angle b = \boxed{\phantom{00}}$

➡ $\angle x = \angle a = \boxed{\phantom{00}}$ (동위각)

---

중학교 교과서

**05** 다음 그림에서 $l /\!/ m$일 때, $\angle x$의 크기를 구하시오.

평행선에서 동위각과 엇각의 크기는 각각 같아.

(1)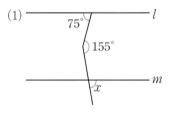

(2)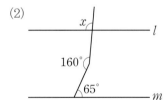

(3)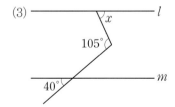

(4)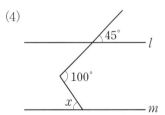

---

**06** 오른쪽 그림에서 $l /\!/ m$일 때, $\angle x$의 크기를 구하시오.

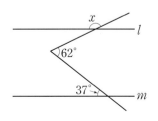

초4학년: 평행
중1학년: 평행선의 성질

예 그림과 같이 직사각형 모양의 종이를 접었을 때, ∠x의 크기 구하기

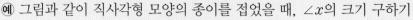

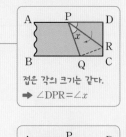

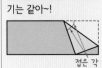
초등쌤
직사각형 모양의 종이를 접었을 때 접은 각의 크기는 같아~!

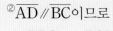
접은 각

① 접은 각의 크기는 같으므로 ∠DPR=∠x ←

접은 각의 크기는 같다.
➡ ∠DPR=∠x

② $\overline{AD} /\!/ \overline{BC}$이므로

∠DPQ=∠PQB=70°(엇각) ←

∠DPQ=∠DPR+∠x

$\quad = \angle x + \angle x = 70°$

➡ ∠x=**35°**

$\overline{AD} /\!/ \overline{BC}$이므로
엇각의 크기는 서로 같다.
➡ ∠DPQ=∠PQB

---

**01** 다음 그림과 같이 직사각형 모양의 종이를 $\overline{PQ}$를 접는 선으로 하여 접었을 때, ∠x의 크기를 구하는 과정이다. □ 안에 알맞게 써넣으시오.

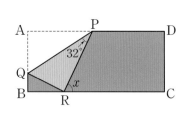

접은 각의 크기는 같으므로 ∠APQ=∠ □ = □

➡ ∠APR=∠APQ+32°

$\quad = \boxed{\phantom{00}} + 32° = \boxed{\phantom{00}}$

$\overline{AD} /\!/ \overline{BC}$이므로

∠x=∠ □ = □ (엇각)

---

**02** 오른쪽 그림과 같이 직사각형 모양의 종이를 접었을 때, ∠x의 크기를 구하시오.

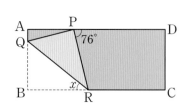

---

**03** 오른쪽 그림과 같이 직사각형 모양의 종이를 $\overline{PQ}$를 접는 선으로 하여 접었다. ∠QRC의 크기를 구하시오.

접은 각의 크기는 같다는 것을 이용하여 ∠DPR의 크기를 구해.

① ∠PRB의 크기:

② ∠PRQ의 크기:

③ ∠QRC의 크기:

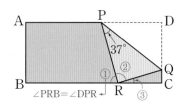

## 12-2 직사각형 모양의 종이를 접었을 때 생기는 각도 구하기 (2)

초 4학년: 평행
중 1학년: 평행선의 성질

**예** 그림과 같이 직사각형 모양의 종이를 접었을 때, $\angle x$의 크기 구하기

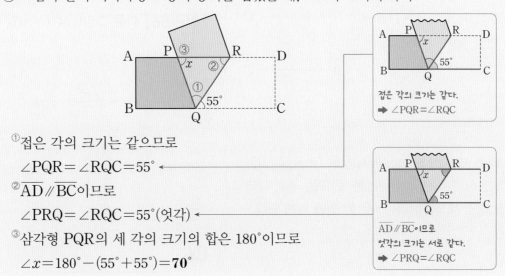

①접은 각의 크기는 같으므로

$\angle PQR = \angle RQC = 55°$ ◄

②$\overline{AD} / \! / \overline{BC}$이므로

$\angle PRQ = \angle RQC = 55°$(엇각) ◄

③삼각형 PQR의 세 각의 크기의 합은 $180°$이므로

$\angle x = 180° - (55° + 55°) = \mathbf{70°}$

접은 각의 크기는 같다.
➡ $\angle PQR = \angle RQC$

$\overline{AD} / \! / \overline{BC}$이므로
엇각의 크기는 서로 같다.
➡ $\angle PRQ = \angle RQC$

---

**04** 다음 그림과 같이 직사각형 모양의 종이를 $\overline{PR}$을 접는 선으로 하여 접었을 때, $\angle x$의 크기를 구하는 과정이다. ☐ 안에 알맞게 써넣으시오.

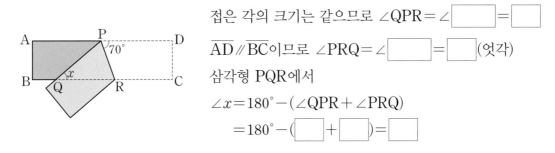

접은 각의 크기는 같으므로 $\angle QPR = \angle \boxed{\phantom{xx}} = \boxed{\phantom{xx}}$

$\overline{AD} / \! / \overline{BC}$이므로 $\angle PRQ = \angle \boxed{\phantom{xx}} = \boxed{\phantom{xx}}$(엇각)

삼각형 PQR에서

$\angle x = 180° - (\angle QPR + \angle PRQ)$

$= 180° - (\boxed{\phantom{xx}} + \boxed{\phantom{xx}}) = \boxed{\phantom{xx}}$

---

중학교 교과서

**05** 오른쪽 그림과 같이 직사각형 모양의 종이를 접었을 때, $\angle x$의 크기를 구하시오.

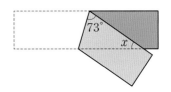

---

**06** 오른쪽 그림과 같이 직사각형 모양의 종이를 접었을 때, $\angle x$의 크기를 구하시오.

먼저 $\angle x$와 크기가 같은 각을 모두 찾아!

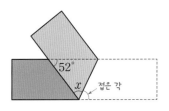

접은 각

**01** 오른쪽 직사각형에서 $\overline{AD}$와 평행한 변을 찾아 쓰시오.

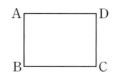

**02** 서로 다른 세 직선 $l$, $m$, $n$에 대하여 $l /\!/ m$, $l /\!/ n$일 때, 직선 $m$과 직선 $n$의 관계를 $\perp$ 또는 $/\!/$로 나타내시오. (단, 세 직선 $l$, $m$, $n$은 한 평면 위에 있다.)

$m \;\square\; n$

**03** 아래 그림에서 다음을 각각 구하시오.

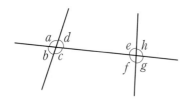

$\angle b$의 동위각: 　　　　 $\angle e$의 엇각:

**04** 아래 그림과 같이 세 직선이 만날 때, 다음 중 옳은 것을 모두 고르면?

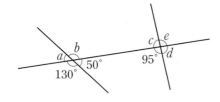

① $\angle a$의 동위각은 $\angle e$이다.

② $\angle a$와 $\angle c$의 크기는 같다.

③ $\angle b$의 엇각의 크기는 $95°$이다.

④ $\angle c$의 엇각의 크기는 $130°$이다.

⑤ $\angle d$의 동위각의 크기는 $50°$이다.

**[05~06]** 다음 그림에서 $l /\!/ m$일 때, $\angle x$의 크기를 구하시오.

**05**

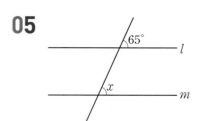

**06**

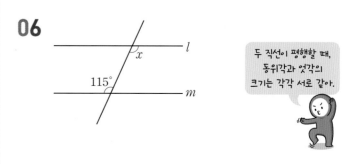

두 직선이 평행할 때, 동위각과 엇각의 크기는 각각 서로 같아.

**07** 직선 $l$과 직선 $m$이 서로 평행한 것을 찾아 기호를 쓰시오.

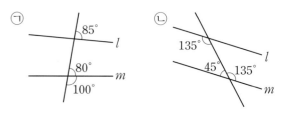

**08** 다음 그림에서 $l /\!/ m$, $n /\!/ p$일 때, $\angle a$, $\angle b$, $\angle c$의 크기를 각각 구하시오.

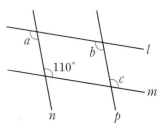

$\angle a = \square$ , $\angle b = \square$ , $\angle c = \square$

**09** 다음 그림에서 ∠a의 동위각의 크기를 구하시오.

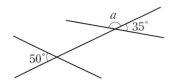

**10** 다음 그림에서 ∠a의 엇각과 ∠b의 동위각의 크기의 차를 구하시오.

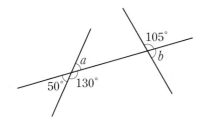

**[11~13]** 다음 그림에서 $l \parallel m$일 때, ∠x, ∠y의 크기를 각각 구하시오.

**11**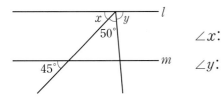

∠x:

∠y:

**12**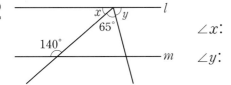

∠x:

∠y:

**13**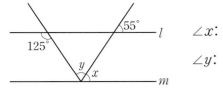

∠x:

∠y:

**14** 다음 그림에서 $l \parallel m$일 때, ∠x의 크기를 구하시오.

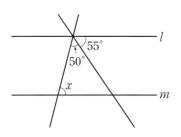

**15** 다음 그림에서 $l \parallel m$이고, 직선 $l$과 직선 $m$에 평행하도록 보조선을 그었을 때, 다음 각의 크기를 각각 구하시오.

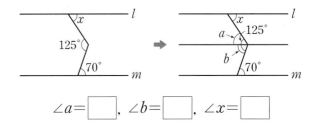

∠a = ☐, ∠b = ☐, ∠x = ☐

**16** 다음 그림에서 $l \parallel m$일 때, ∠x + ∠y의 값을 구하시오.

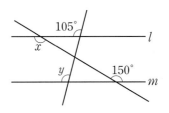

**17** 다음 그림에서 $l \parallel m$, $n \parallel p$일 때, ∠x − ∠y의 값을 구하시오.

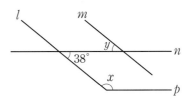

먼저 ∠x의 동위각을 찾아.

[18~19] 다음 그림에서 $l /\!/ m$일 때, $\angle x$의 크기를 구하시오.

**18**

**19**

[20~21] 다음 그림에서 $l /\!/ m$일 때, $\angle x$의 크기를 구하시오.

**20**

**21**

[22~23] 다음 그림에서 $l /\!/ m$일 때, $\angle x$의 크기를 구하시오.

**22**

**23**

[24~25] 다음 그림과 같이 직사각형 모양의 종이를 접었을 때, $\angle x$의 크기를 구하시오.

**24**

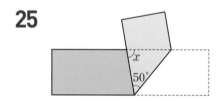

**25**

종이를 접었을 때, 접은 각의 크기는 같아.

# 3 단계

# 작도 / 합동 / 닮음

개념 동영상 강의

# 14 간단한 도형의 작도

## 중등 14-1 길이가 같은 선분의 작도

• 작도: 눈금 없는 자와 컴퍼스만을 사용하여 도형을 그리는 것
  예) $\overline{AB}$와 길이가 같은 $\overline{PQ}$ 작도하기

선분을 그릴 땐 날 이용해~.

눈금✗

선분의 길이를 재거나 원을 그릴 땐 날 이용해~.

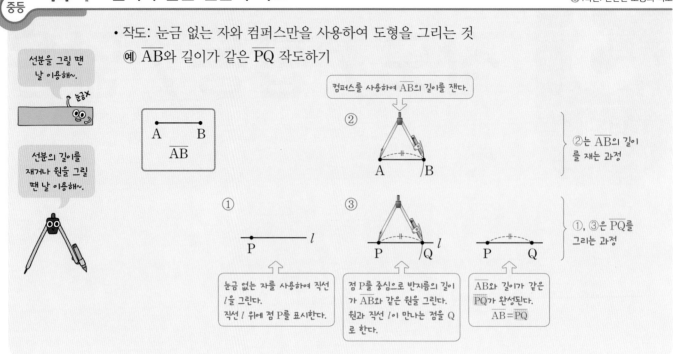

컴퍼스를 사용하여 $\overline{AB}$의 길이를 잰다.

② ②는 $\overline{AB}$의 길이를 재는 과정

① ①, ③은 $\overline{PQ}$를 그리는 과정

눈금 없는 자를 사용하여 직선 $l$을 그린다. 직선 $l$ 위에 점 P를 표시한다.

점 P를 중심으로 반지름의 길이가 $\overline{AB}$와 같은 원을 그린다. 원과 직선 $l$이 만나는 점을 Q로 한다.

$\overline{AB}$와 길이가 같은 $\overline{PQ}$가 완성된다. $\overline{AB} = \overline{PQ}$

중학교 교과서

**01** 다음 그림은 $\overline{AB}$와 길이가 같은 $\overline{CD}$를 작도한 것이다. 작도 순서를 바르게 나열하시오.

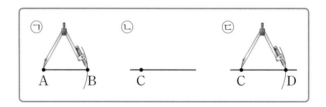

ㄱ ㄴ ㄷ

**02** 눈금 없는 자와 컴퍼스를 사용하여 $\overline{AB}$와 길이가 같은 $\overline{PQ}$를 작도하시오.

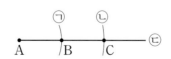

**03** 다음 그림은 $\overline{AB}$를 연장하여 그 길이가 $\overline{AB}$의 2배가 되는 $\overline{AC}$를 작도하는 과정이다. 작도 순서를 바르게 나열하시오.

ㄱ 컴퍼스를 사용하여 $\overline{AB}$의 길이를 잰다.
ㄴ 점 B를 중심으로 하고 반지름의 길이가 $\overline{AB}$인 원을 그려 $\overrightarrow{AB}$와의 교점 중 점 A가 아닌 점을 C라 하면 $\overline{AC}$는 $\overline{AB}$의 2배이다.
ㄷ 눈금 없는 자를 사용하여 $\overrightarrow{AB}$를 긋는다.

## 중등 14-2 크기가 같은 각의 작도

예 ∠XOY와 크기가 같고 $\overrightarrow{PQ}$를 한 변으로 하는 ∠DPC 작도하기

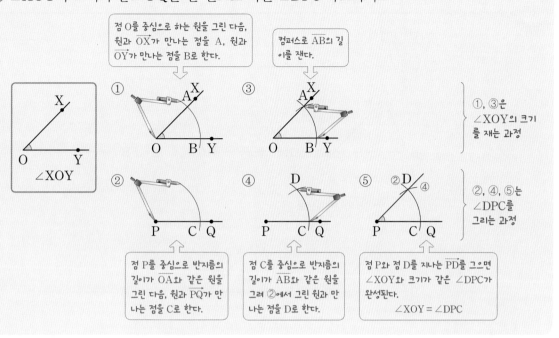

점 O를 중심으로 하는 원을 그린 다음, 원과 $\overrightarrow{OX}$가 만나는 점을 A, 원과 $\overrightarrow{OY}$가 만나는 점을 B로 한다.

컴퍼스로 $\overline{AB}$의 길이를 잰다.

①, ③은 ∠XOY의 크기를 재는 과정

②, ④, ⑤는 ∠DPC를 그리는 과정

점 P를 중심으로 반지름의 길이가 $\overline{OA}$와 같은 원을 그린 다음, 원과 $\overrightarrow{PQ}$가 만나는 점을 C로 한다.

점 C를 중심으로 반지름의 길이가 $\overline{AB}$와 같은 원을 그려 ②에서 그린 원과 만나는 점을 D로 한다.

점 P와 점 D를 지나는 $\overrightarrow{PD}$를 그으면 ∠XOY와 크기가 같은 ∠DPC가 완성된다.
∠XOY = ∠DPC

**04** 다음 그림은 ∠XOY와 크기가 같고 $\overrightarrow{AB}$를 한 변으로 하는 각을 작도하는 과정이다. □ 안에 알맞은 것을 써넣으시오.

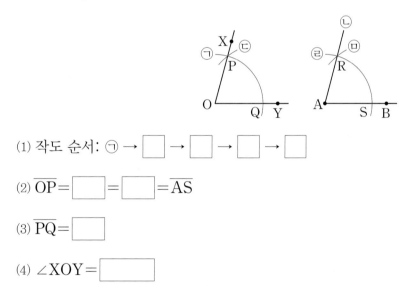

(1) 작도 순서: ㉠ → □ → □ → □ → □

(2) $\overline{OP}=$ □ $=$ □ $=\overline{AS}$

(3) $\overline{PQ}=$ □

(4) ∠XOY = □

중학교 교과서

**05** 다음 그림의 ∠XOY와 크기가 같은 각을 $\overrightarrow{AB}$를 한 변으로 하고, 점 A를 각의 꼭짓점으로 하여 작도하시오.

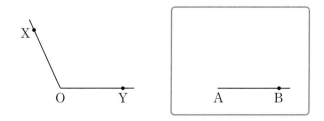

# 15  삼각형의 작도 (1)

## 중등 15-1  삼각형의 대변, 대각

초 4학년: 삼각형
중 1학년: 간단한 도형의 작도

△ABC에서
→ 삼각형 ABC

(1) 대변: 한 각과 마주 보는 변

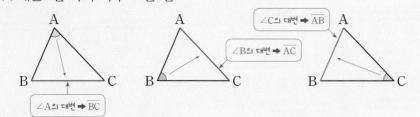

∠C의 대변 ➡ $\overline{AB}$
∠B의 대변 ➡ $\overline{AC}$
∠A의 대변 ➡ $\overline{BC}$

중등에서는 삼각형을 기호 △를 사용하여 나타내.

삼각형 ABC ➡ △ABC

(2) 대각: 한 변과 마주 보는 각

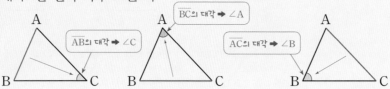

$\overline{AB}$의 대각 ➡ ∠C
$\overline{BC}$의 대각 ➡ ∠A
$\overline{AC}$의 대각 ➡ ∠B

**01**  오른쪽 그림의 삼각형에서 다음을 구하시오.

(1) ∠Q의 대변:

(2) ∠R의 대변:

(3) $\overline{PQ}$의 대각:

(4) $\overline{PR}$의 대각:

## 중등 15-2  삼각형의 세 변의 길이 사이의 관계

초 4학년: 삼각형
중 1학년: 간단한 도형의 작도

삼각형에서 가장 긴 변의 길이는 나머지 두 변의 길이의 합보다 짧다.

(가장 긴 변의 길이) < (나머지 두 변의 길이의 합)

① 세 선분이 각각 3 cm, 6 cm, 7 cm ➡ 7 < 3+6 ➡ 삼각형을 만들 수 있다.
                                              9

② 세 선분이 각각 2 cm, 4 cm, 6 cm ➡ 6 = 2+4 ➡ 삼각형을 만들 수 없다.
                                            6

③ 세 선분이 각각 5 cm, 7 cm, 13 cm ➡ 13 > 5+7 ➡ 삼각형을 만들 수 없다.
                                             12

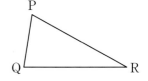

중학교 교과서

**02**  세 선분의 길이가 다음과 같을 때, 삼각형을 만들 수 있으면 ○표, 만들 수 없으면 ×표 하시오.

가장 긴 변의 길이와 나머지 두 변의 길이의 합을 비교해.

(1) 4 cm, 5 cm, 8 cm  (          )

(2) 6 cm, 7 cm, 14 cm  (          )

(3) 9 cm, 12 cm, 15 cm  (          )

(4) 10 cm, 13 cm, 25 cm  (          )

(5) 7 cm, 9 cm, 16 cm  (          )

(6) 8 cm, 16 cm, 21 cm  (          )

## 중등 15-3 세 변의 길이가 주어진 삼각형의 작도

중1학년: 간단한 도형의 작도

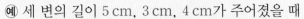

예 세 변의 길이 5 cm, 3 cm, 4 cm가 주어졌을 때

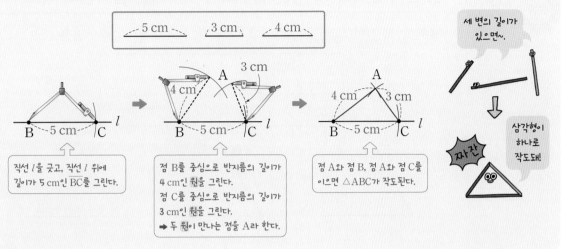

직선 *l*을 긋고, 직선 *l* 위에 길이가 5 cm인 $\overline{BC}$를 그린다.

점 B를 중심으로 반지름의 길이가 4 cm인 원을 그린다. 점 C를 중심으로 반지름의 길이가 3 cm인 원을 그린다. ➡ 두 원이 만나는 점을 A라 한다.

점 A와 점 B, 점 A와 점 C를 이으면 △ABC가 작도된다.

세 변의 길이가 있으면~.

삼각형이 하나로 작도돼!

짜잔

중학교 교과서

**03** 다음은 세 변의 길이가 *a*, *b*, *c*인 △ABC를 작도하는 과정이다. ☐ 안에 알맞은 것을 써넣으시오.

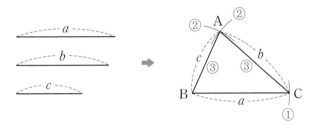

① 길이가 *a*인 ☐ 작도하기

② 점 B를 중심으로 하여 반지름의 길이가 ☐인 원을 그리고, 점 C를 중심으로 하여 반지름의 길이가 ☐인 원을 그린 다음, 그린 두 원이 만나는 점을 A라 하기

③ $\overline{AB}$, ☐를 그어 △ABC 작도하기

**04** 다음 그림은 세 변의 길이가 주어질 때, △ABC를 작도한 것이다. 작도 순서에 맞게 ☐ 안에 알맞은 것을 써넣으시오.

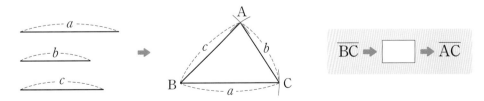

$\overline{BC}$ ➡ ☐ ➡ $\overline{AC}$

## 중등 16-1 두 변의 길이와 그 끼인각의 크기가 주어진 삼각형의 작도

중1학년: 간단한 도형의 작도

예 두 변의 길이 4 cm, 6 cm와 그 ❶끼인각의 크기 60°가 주어졌을 때

두 변의 길이와 그 끼인각의 크기가 주어지면 삼각형은 하나로 정해져~.

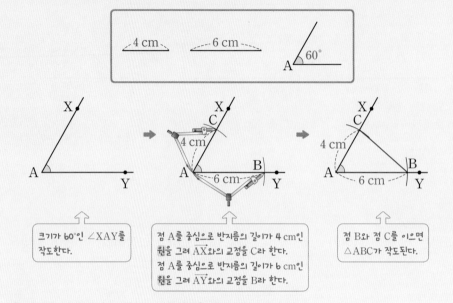

크기가 60°인 ∠XAY를 작도한다.

점 A를 중심으로 반지름의 길이가 4 cm인 원을 그려 $\overrightarrow{AX}$와의 교점을 C라 한다.
점 A를 중심으로 반지름의 길이가 6 cm인 원을 그려 $\overrightarrow{AY}$와의 교점을 B라 한다.

점 B와 점 C를 이으면 △ABC가 작도된다.

❶ 끼인각: 어떤 각이 두 변으로 이루어졌을 때 두 변 사이의 각

**01** 중학교 교과서 다음은 길이가 각각 $b$, $c$인 두 선분을 두 변으로 하고, ∠A를 끼인각으로 하는 △ABC를 작도하는 과정이다. 작도 순서를 바르게 나열하시오.

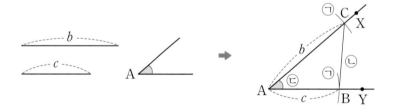

㉠ 점 A를 중심으로 하고 반지름의 길이가 $b$, $c$인 원을 각각 그려 $\overrightarrow{AX}$와 $\overrightarrow{AY}$와의 교점을 각각 C, B라 한다.
㉡ $\overline{BC}$를 그린다.
㉢ ∠A와 크기가 같은 ∠XAY를 작도한다.

**02** 다음 그림은 두 변의 길이와 그 끼인각의 크기가 주어질 때, △ABC를 작도한 것이다. 작도 순서에 맞게 ☐ 안에 알맞은 것을 써넣으시오.

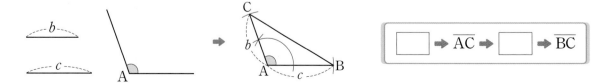

☐ ➡ $\overline{AC}$ ➡ ☐ ➡ $\overline{BC}$

## 중등 16-2 한 변의 길이와 그 양 끝 각의 크기가 주어진 삼각형의 작도

🔎 1학년: 간단한 도형의 작도

예 한 변의 길이 7 cm와 그 양 끝 각의 크기 35°, 50°가 주어졌을 때

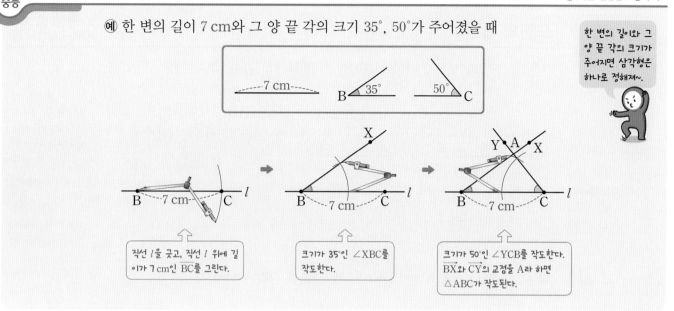

한 변의 길이와 그 양 끝 각의 크기가 주어지면 삼각형은 하나로 정해져~.

직선 *l*을 긋고, 직선 *l* 위에 길이가 7 cm인 BC를 그린다.

크기가 35°인 ∠XBC를 작도한다.

크기가 50°인 ∠YCB를 작도한다. BX와 CY의 교점을 A라 하면 △ABC가 작도된다.

중학교 교과서

**03** 다음은 길이가 *a*인 선분을 한 변으로 하고, ∠B, ∠C를 양 끝 각으로 하는 △ABC를 작도하는 과정이다. ☐ 안에 알맞은 것을 써넣으시오.

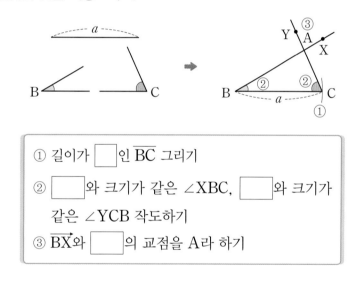

① 길이가 ☐ 인 $\overline{BC}$ 그리기
② ☐ 와 크기가 같은 ∠XBC, ☐ 와 크기가 같은 ∠YCB 작도하기
③ $\overrightarrow{BX}$와 ☐ 의 교점을 A라 하기

**04** 다음 그림은 한 변의 길이와 그 양 끝 각의 크기가 주어질 때, △ABC를 작도한 것이다. 작도 순서에 맞게 ☐ 안에 알맞은 것을 써넣으시오.

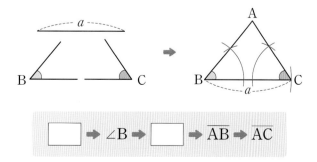

☐ ➡ ∠B ➡ ☐ ➡ $\overline{AB}$ ➡ $\overline{AC}$

## 중등 17-1 도형의 합동

초 5학년: 합동인 도형의 성질
중 1학년: 삼각형의 합동 조건

• 합동: 모양과 크기가 같아서 포개었을 때 완전히 겹치는 두 도형

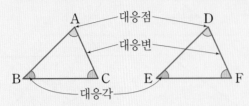

△ABC와 △DEF는 서로 합동

➡ 기호 △ABC≡△DEF

꼭짓점을 대응하는
차례대로 쓴다.

合同
<합할 합, 같을 동>
포개었을 때
같다라는 뜻이야~.

① 대응변의 길이는 서로 같다. ➡ $\overline{AB}=\overline{DE}$, $\overline{BC}=\overline{EF}$, $\overline{CA}=\overline{FD}$

② 대응각의 크기는 서로 같다. ➡ ∠A=∠D, ∠B=∠E, ∠C=∠F

**01** 다음 그림에서 △ABC≡△DEF일 때, 다음을 각각 구하시오.

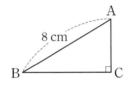

(1) $\overline{AC}$의 길이:

(2) $\overline{DE}$의 길이:

(3) ∠A의 크기:

(4) ∠F의 크기:

**02** 다음 그림에서 □ABCD≡□EFGH일 때, 다음을 각각 구하시오.

➡ 사각형

중등에서는 사각형
을 기호 □를 사용
하여 나타내.
사각형 ABCD
➡ □ABCD

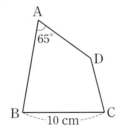
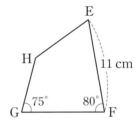

(1) $\overline{AB}$의 길이:

(2) $\overline{GF}$의 길이:

(3) ∠B의 크기:

(4) ∠E의 크기:

중학교 교과서

**03** 다음 그림에서 △ABC와 △DEF가 서로 합동일 때, ∠C의 크기를 구하시오.

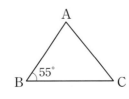
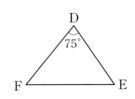

## 중등 17-2 삼각형의 합동 조건 (1)

중 1학년: 삼각형의 합동 조건

세 쌍의 대응변의 길이가 각각 같을 때 서로 합동이다.

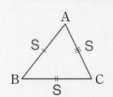 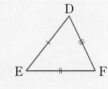

$$\overline{AB}=\overline{DE},\ \overline{BC}=\overline{EF},\ \overline{CA}=\overline{FD}$$
➡ $\triangle ABC \equiv \triangle DEF$(SSS 합동)

Side(변), Side, Side
➡ SSS 합동

**04** 다음 그림에서 두 삼각형이 서로 합동일 때 □ 안에 알맞은 것을 써넣으시오.

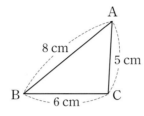 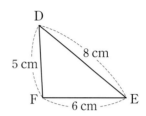

$$\overline{AB}=\boxed{\phantom{0}},\ \overline{BC}=\boxed{\phantom{0}},\ \boxed{\phantom{0}}=\overline{DF}$$
➡ $\triangle ABC \equiv \triangle DEF($ □□□ 합동$)$

**05** 오른쪽 사각형 ABCD에서 $\overline{AB}=\overline{CB}$, $\overline{AD}=\overline{CD}$일 때, $\triangle ABD$와 $\triangle CBD$가 서로 합동이 되는 과정을 설명한 것이다. □ 안에 알맞은 것을 써넣으시오.

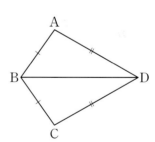

$\triangle ABD$와 $\triangle CBD$에서
$$\overline{AB}=\boxed{\phantom{0}},\ \overline{AD}=\boxed{\phantom{0}},\ \boxed{\phantom{0}} \text{는 공통인 변}$$
➡ $\triangle ABD \equiv \triangle CBD($ □□□ 합동$)$

중학교 교과서
**06** 보기의 삼각형과 합동인 삼각형을 찾아 기호를 쓰시오.

보기의 삼각형과 세 쌍의 대응변의 길이가 각각 같은 삼각형을 찾아!

• 보기 •
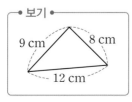
ㄱ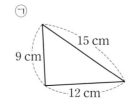
ㄴ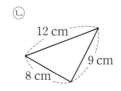
ㄷ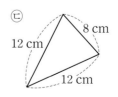

# 18 삼각형의 합동 (2)

## 중등 18-1 삼각형의 합동 조건 (2)

중1학년: 삼각형의 합동 조건

두 쌍의 대응변의 길이가 각각 같고, 그 끼인각의 크기가 같을 때 서로 ❶합동이다.

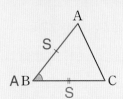 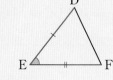

$$\underset{S}{\overline{AB}=\overline{DE}}, \underset{A}{\angle B=\angle E}, \underset{S}{\overline{BC}=\overline{EF}}$$
➡ $\triangle ABC \equiv \triangle DEF$(SAS 합동)

삼각형의 합동
조건에서
S: Side ➡ 변
A: Angle ➡ 각

❶ 합동: 모양과 크기가 같아서 포개었을 때 완전히 겹치는 두 도형

**01** 다음 그림에서 두 삼각형이 서로 합동일 때, □ 안에 알맞은 것을 써넣으시오.

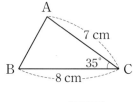 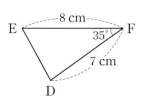

$\overline{AC}=\boxed{\phantom{0}}$, $\overline{BC}=\boxed{\phantom{0}}$, $\angle C=\boxed{\phantom{0}}$

➡ $\triangle ABC \equiv \triangle DEF$($\boxed{\phantom{0}}\boxed{\phantom{0}}\boxed{\phantom{0}}$ 합동)

**02** 다음 그림에서 △ABC와 △DEF가 SAS 합동이 되기 위해 필요한 조건 한 가지를 찾아 □ 안에 알맞게 써넣으시오.

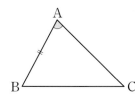 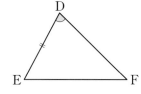

$\overline{AB}=\overline{DE}$, $\angle A=\angle D$, $\overline{AC}=\boxed{\phantom{0}}$

중학교 교과서

**03** 다음 그림에서 $\overline{AO}=\overline{CO}$, $\overline{BO}=\overline{DO}$일 때, 합동인 삼각형을 찾아 쓰고, 합동 조건을 말하시오.

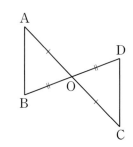

길이가 각각 같은 두 쌍의 대응변에서 그 끼인각을 찾아 크기가 같은지 알아 봐!

$\triangle AOB \equiv \triangle\boxed{\phantom{00}}$($\boxed{\phantom{0}}\boxed{\phantom{0}}\boxed{\phantom{0}}$ 합동)

## 18-2 삼각형의 합동 조건 (3)

중등

중 1학년: 삼각형의 합동 조건

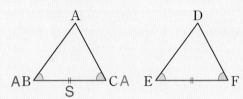

한 쌍의 대응변의 길이가 같고, 그 양 끝 각의 크기가 각각 같을 때 서로 합동이다.

Angle(각), Side(변),
Angle ➡ ASA 합동

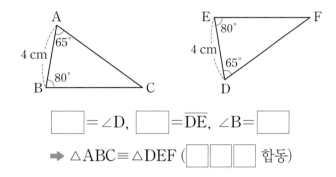

$\angle B = \angle E$, $\overline{BC} = \overline{EF}$, $\angle C = \angle F$
   A       S        A

➡ $\triangle ABC \equiv \triangle DEF$(ASA 합동)

**04** 다음 그림에서 두 삼각형이 서로 합동일 때, ☐ 안에 알맞은 것을 써넣으시오.

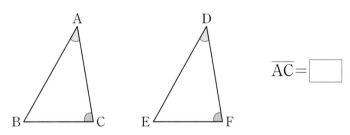

☐ $= \angle D$, ☐ $= \overline{DE}$, $\angle B =$ ☐

➡ $\triangle ABC \equiv \triangle DEF$ ( ☐☐☐ 합동)

**05** 다음 그림에서 $\angle A = \angle D$, $\angle C = \angle F$일 때, $\triangle ABC$와 $\triangle DEF$가 ASA 합동이 되기 위해 필요한 조건 한 가지를 찾아 ☐ 안에 알맞게 써넣으시오.

$\overline{AC} =$ ☐

중학교 교과서

**06** 다음 삼각형에서 서로 합동인 것을 찾아 기호 ≡를 사용하여 나타내고, 각각의 합동 조건을 말하시오.

주어진 삼각형에서 모르는 각의 크기를 구한 후 서로 합동인 삼각형을 찾아.

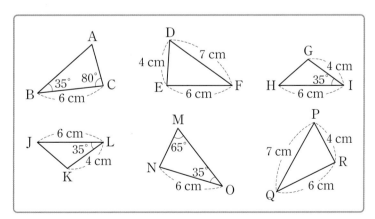

(1) $\triangle ABC \equiv \triangle$ ☐ ( ☐☐ 합동)　　(2) $\triangle DEF \equiv \triangle$ ☐ ( ☐☐ 합동)

(3) $\triangle GHI \equiv \triangle$ ☐ ( ☐☐ 합동)

# 19 직각삼각형의 합동

## 19-1 직각삼각형의 합동 조건 (1)

중등

두 직각삼각형의 ❶빗변의 길이와 한 예각의 크기가 각각 같을 때 서로 합동이다.

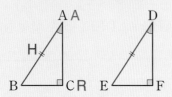

$\angle C = \angle F = 90°$, $\overline{AB} = \overline{DE}$, $\angle A = \angle D$
   R            H       A

➡ $\triangle ABC \equiv \triangle DEF$(RHA 합동)

R: Right angle ➡ 직각
H: Hypotenuse ➡ 빗변
A: Angle ➡ 각

❶ 빗변: 직각삼각형에서 직각의 대변

[잠깐만!]

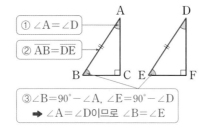

① $\angle A = \angle D$
② $\overline{AB} = \overline{DE}$
③ $\angle B = 90° - \angle A$, $\angle E = 90° - \angle D$
➡ $\angle A = \angle D$이므로 $\angle B = \angle E$

①, ②, ③에서
한 쌍의 대응변의 길이가
같고, 그 양 끝 각의
크기가 각각 같으므로
$\triangle ABC \equiv \triangle DEF$
(ASA 합동)

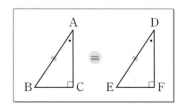

---

**01** 다음 그림의 두 직각삼각형을 보고 물음에 답하시오.

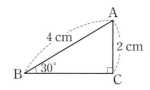 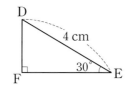

(1) 두 직각삼각형이 합동일 때, ☐ 안에 알맞은 것을 써넣으시오.

$\angle C = \boxed{\phantom{xx}} = 90°$, $\overline{AB} = \boxed{\phantom{xx}}$, $\angle B = \boxed{\phantom{xx}}$

➡ $\triangle ABC \equiv \triangle DEF$($\boxed{\phantom{x}}\boxed{\phantom{x}}\boxed{\phantom{x}}$ 합동)

(2) $\overline{DF}$의 길이를 구하시오.

---

[중학교 교과서]

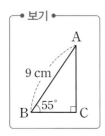

**02** 다음 중 보기의 직각삼각형 ABC와 합동인 삼각형을 찾아 기호 ≡를 사용하여 나타내고, 합동 조건을 말하시오.

주어진 삼각형에서 나머지 한 각의 크기를 구한 후 보기의 직각삼각형과 합동인 삼각형을 찾아!

• 보기 •

A
9 cm
B 55° C

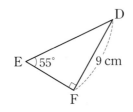 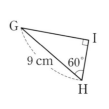 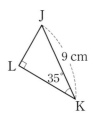

$\triangle ABC \equiv \triangle \boxed{\phantom{xxx}}$($\boxed{\phantom{x}}\boxed{\phantom{x}}\boxed{\phantom{x}}$ 합동)

## 중등 19-2 직각삼각형의 합동 조건 (2)

<sup>중</sup> 2학년: 직각삼각형의 합동 조건

두 직각삼각형의 빗변의 길이와 다른 한 변의 길이가 각각 같을 때 서로 합동이다.

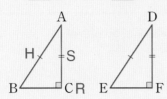

$$\angle C = \angle F = 90^\circ, \quad \overline{AB} = \overline{DE}, \quad \overline{AC} = \overline{DF}$$
$$\Rightarrow \triangle ABC \equiv \triangle DEF (\text{RHS 합동})$$

잠깐만!

AC와 DF가 겹치도록 놓기

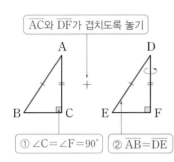

① ∠C=∠F=90°

평각이므로 점 B, C, E는 한 직선 위에 있다.

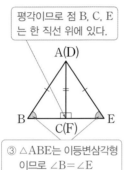

② $\overline{AB}=\overline{DE}$

③ △ABE는 이등변삼각형이므로 ∠B=∠E

①, ②, ③에서
△ABC≡△DEF
(RHA 합동)

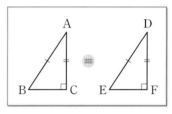

---

**03** 오른쪽 두 직각삼각형을 보고 물음에 답하시오.

(1) 두 직각삼각형이 합동일 때, □ 안에 알맞은 것을 써넣으시오.

$$\angle C = \angle F = \boxed{\phantom{00}}, \quad \boxed{\phantom{00}} = \overline{DE}, \quad \overline{BC} = \boxed{\phantom{00}}$$

$$\Rightarrow \triangle ABC \equiv \triangle DEF (\boxed{\phantom{0}}\boxed{\phantom{0}}\boxed{\phantom{0}} \ \text{합동})$$

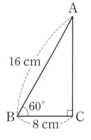

(2) ∠E의 크기를 구하시오.

---

중학교 교과서

**04** 다음 직각삼각형에서 서로 합동인 것을 찾아 기호 ≡를 사용하여 나타내고, 각각의 합동 조건을 말하시오.

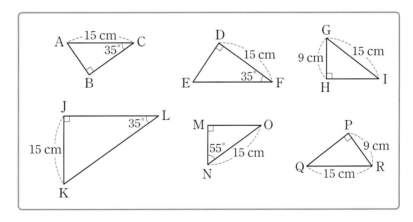

(1) $\triangle ABC \equiv \triangle \boxed{\phantom{000}} (\boxed{\phantom{0}}\boxed{\phantom{0}}\boxed{\phantom{0}} \ \text{합동})$

(2) $\triangle GHI \equiv \triangle \boxed{\phantom{000}} (\boxed{\phantom{0}}\boxed{\phantom{0}}\boxed{\phantom{0}} \ \text{합동})$

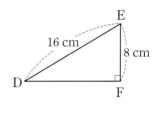

# 20 도형의 닮음

### 초등 20-1 비

• 비: 두 수를 나눗셈으로 비교하기 위해 기호 :을 사용하여 나타낸 것

전항 ⎿ ⎾ 후항

| 비의 전항과 후항에 0이 아닌<br>같은 수를 곱하여도 비율은 같다. | <br>$1 : 2 = 2 : 4$ |
| 비의 전항과 후항을 0이 아닌<br>같은 수로 나누어도 비율은 같다. | $5 : 10 = 1 : 2$ |

비율: 기준량에 대한 비교
하는 양의 크기
$(비율) = \dfrac{(비교하는 양)}{(기준량)}$

**01** 다음 비와 비율이 같은 비를 만들 때, □ 안에 알맞은 수를 써넣으시오.

(1)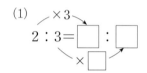
$2 : 3 = \square : \square$

(2)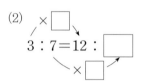
$3 : 7 = 12 : \square$

(3)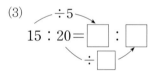
$15 : 20 = \square : \square$

(4)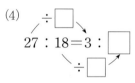
$27 : 18 = 3 : \square$

### 중등 20-2 도형의 닮음

• 닮은 도형: 한 도형을 일정한 비율로 확대 또는 축소하여 만든 도형이 다른
도형과 합동일 때 두 도형

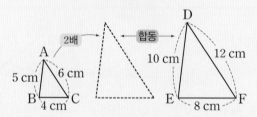

△ABC와 △DEF는 닮음
➡ 기호 △ABC ∽ △DEF

꼭짓점을 대응하는
차례대로 쓴다.

옆으로 누우면~

Similarity

닮음 기호

**02** 다음 그림에서 □ABCD와 □EFGH의 관계를 보기의 기호 중 알맞은 것을 골라 나타내시오.

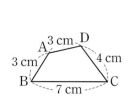

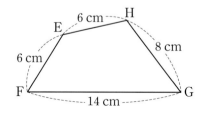

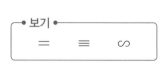

• 보기 •
= ≡ ∽

□ABCD □□ □EFGH

## 20-3 닮은 도형의 성질

🔵 2학년: 도형의 닮음

△ABC ⑤ △DEF일 때,
↳ △ABC와 △DEF는 닮음

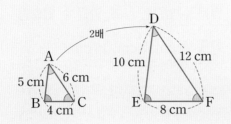

① 대응변의 길이의 비는 일정하다.

$\overline{AB} : \overline{DE} = 5 : 10 = 1 : 2$
$\overline{BC} : \overline{EF} = 4 : 8 = 1 : 2$ ➡ 닮음비(일정)
$\overline{AC} : \overline{DF} = 6 : 12 = 1 : 2$

② 대응각의 크기는 각각 같다.
➡ ∠A=∠D, ∠B=∠E, ∠C=∠F

③ 닮음비: 대응변의 길이의 비 ➡ 1 : 2

---

**03** 오른쪽 그림에서 □ABCD∽□EFGH일 때, 다음 중 닮음비를 고르면?

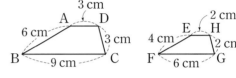

① 1 : 3        ② 2 : 3        ③ 2 : 9

④ 3 : 2        ⑤ 4 : 9

---

중학교 교과서

**04** 다음 그림에서 △ABC∽△DEF일 때, 물음에 답하시오.

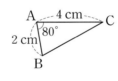 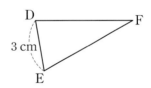

(1) △ABC와 △DEF의 닮음비를 구하시오.

$\overline{AB} : \overline{DE} = \boxed{\phantom{x}} : \boxed{\phantom{x}}$ 이므로 닮음비는 $\boxed{\phantom{x}} : \boxed{\phantom{x}}$ 이다.

(2) $\overline{DF}$의 길이를 구하시오.

$\overline{AC} : \overline{DF} = \boxed{\phantom{x}} : \boxed{\phantom{x}}$ 에서 $4 : \overline{DF} = \boxed{\phantom{x}} : \boxed{\phantom{x}}$ ➡ $\overline{DF} = \boxed{\phantom{x}}$ cm

(3) ∠D의 크기를 구하시오.

∠D = ∠$\boxed{\phantom{x}}$ = $\boxed{\phantom{x}}$

---

**05** 오른쪽 그림에서 □ABCD∽□EFGH일 때, $x$, $y$의 값을 각각 구하시오.

먼저 닮은 도형의 성질을 이용하여 ∠F의 크기를 구한 후 ∠H의 크기를 구해.

$x = \boxed{\phantom{x}}$ , $y = \boxed{\phantom{x}}$

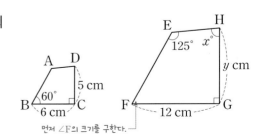

먼저 ∠F의 크기를 구한다.

# 21 실력 확인 TEST

**01** 오른쪽 그림과 같은 직선 $l$ 위에 $\overline{AB}=\overline{CD}$인 점 D를 작도할 때, 필요한 도구를 찾아 기호를 쓰시오.

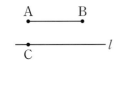

> ㉠ 눈금 없는 자  ㉡ 컴퍼스  ㉢ 각도기

**02** 다음 그림은 $\overline{AB}$와 길이가 같은 $\overline{PQ}$를 작도한 것이다. 작도 순서를 바르게 나열하시오.

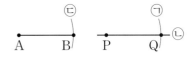

**03** 다음 그림은 ∠XOY와 크기가 같고 $\overrightarrow{PQ}$를 한 변으로 하는 각을 작도하는 과정이다. 작도 순서를 바르게 나열한 것은?

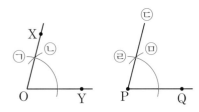

① ㉠ → ㉡ → ㉣ → ㉢ → ㉢
② ㉠ → ㉡ → ㉢ → ㉣ → ㉢
③ ㉠ → ㉣ → ㉡ → ㉢ → ㉢
④ ㉠ → ㉣ → ㉢ → ㉡ → ㉢
⑤ ㉠ → ㉢ → ㉡ → ㉣ → ㉢

**04** 오른쪽 그림의 △ABC에서 ∠A의 대변의 길이를 구하시오.

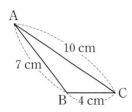

**[05~06]** 세 선분의 길이가 다음과 같을 때, 삼각형을 만들 수 있으면 ○표, 만들 수 없으면 ×표 하시오.

**05** 7 cm, 8 cm, 16 cm (          )

> 삼각형에서 가장 긴 변의 길이는 나머지 두 변의 길이의 합보다 짧아.

**06** 5 cm, 9 cm, 12 cm (          )

**[07~09]** 다음 그림의 두 삼각형은 각각 합동이다. 기호 ≡를 사용하여 나타내고, 합동 조건을 말하시오.

**07**

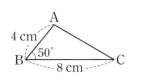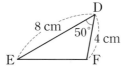

△ABC≡△☐☐☐ (☐☐☐ 합동)

**08**

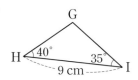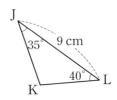

△GHI≡△☐☐☐ (☐☐☐ 합동)

**09**

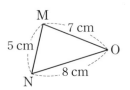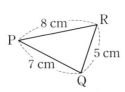

△MNO≡△☐☐☐ (☐☐☐ 합동)

**10** 다음은 길이가 각각 $b$, $c$인 두 선분을 두 변으로 하고, ∠A를 끼인각으로 하는 △ABC를 작도하는 과정이다. □ 안에 알맞은 것을 써넣어 작도 순서를 완성하시오.

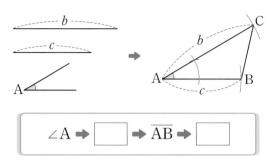

$$∠A ⇒ \boxed{\phantom{xx}} ⇒ \overline{AB} ⇒ \boxed{\phantom{xx}}$$

**11** 다음 그림에서 두 직각삼각형이 서로 합동임을 기호 ≡를 사용하여 나타내고, 합동 조건을 말하시오.

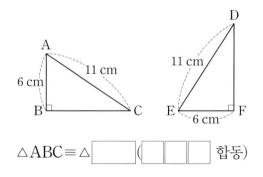

$$△ABC≡△\boxed{\phantom{xx}} (\boxed{\phantom{}}\boxed{\phantom{}}\boxed{\phantom{}} \text{ 합동})$$

**12** 아래 그림은 ∠XOY와 크기가 같고 $\overrightarrow{PQ}$를 한 변으로 하는 각을 작도한 것이다. 다음 중 옳지 않은 것의 기호를 쓰시오.

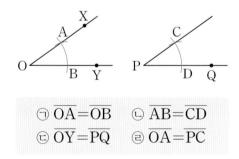

ㄱ $\overline{OA}=\overline{OB}$ ㄴ $\overline{AB}=\overline{CD}$
ㄷ $\overline{OY}=\overline{PQ}$ ㄹ $\overline{OA}=\overline{PC}$

**13** 삼각형의 세 변의 길이가 $5\,cm$, $8\,cm$, $x\,cm$일 때, 다음 중 $x$의 값이 될 수 없는 것은?

① 4     ② 5     ③ 7

④ 10     ⑤ 15

**[14~15]** 다음 그림에서 □ABCD∽□EFGH일 때, 물음에 답하시오.
↳ 닮음

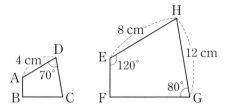

**14** □ABCD와 □EFGH의 닮음비를 구하시오.
↳ 대응변의 길이의 비

**15** ∠C의 크기를 구하시오.

**16** 다음 중 △ABC와 △DEF가 합동이 될 수 있는 조건을 찾아 기호를 쓰시오.

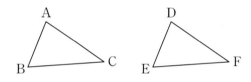

ㄱ ∠A=∠D, ∠B=∠E, ∠C=∠F
ㄴ $\overline{BC}=\overline{EF}$, ∠B=∠E, ∠C=∠F

**17** 다음 중 오른쪽 직각삼각형과 합동인 삼각형은?

①      ②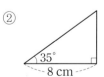

③      ④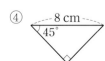

⑤

**18** 다음 그림의 두 삼각형에서 ∠C=∠F, $\overline{CB}=\overline{FE}$ 일 때, 두 삼각형이 SAS 합동이 되기 위해 더 필요한 조건 한 가지를 쓰시오.

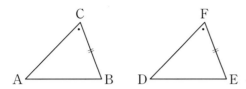

**19** 그림과 같은 두 직각삼각형에서 $\overline{EF}$의 길이를 구하시오.

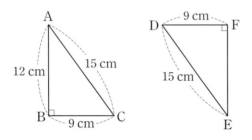

**20** 다음 그림에서 □ABCD≡□EFGH일 때, ∠D의 크기를 구하시오.

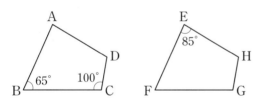

**21** 다음 그림에서 △ABC≡△DEF일 때, 옳은 것을 모두 찾아 기호를 쓰시오.

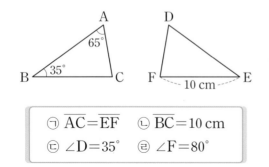

㉠ $\overline{AC}=\overline{EF}$　　㉡ $\overline{BC}=10$ cm
㉢ ∠D=35°　　㉣ ∠F=80°

**22** 다음 그림에서 △ABC∽△DEF일 때, $\overline{DF}$의 길이를 구하시오.

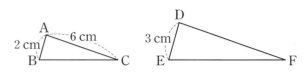

**23** 서로 합동인 두 삼각형을 찾아 기호 ≡를 사용하여 나타내고, 합동 조건을 말하시오.

↳ 주어진 삼각형에서 나머지 한 각의 크기를 구한다.

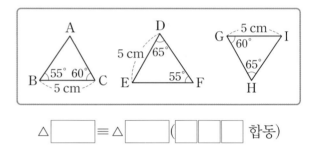

△ ▢ ≡ △ ▢ ( ▢ ▢ ▢ 합동)

**24** 다음 그림에서 합동인 두 삼각형을 찾아 기호 ≡를 사용하여 나타내고, 합동 조건을 말하시오.

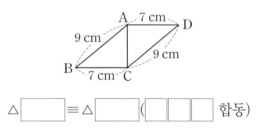

△ ▢ ≡ △ ▢ ( ▢ ▢ ▢ 합동)

**25** 그림에서 ∠ABD=∠CDB, ∠ADB=∠CBD일 때, 합동인 두 삼각형을 찾아 기호 ≡를 사용하여 나타내고, 합동 조건을 말하시오.

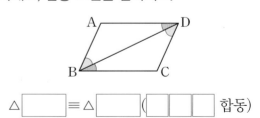

△ ▢ ≡ △ ▢ ( ▢ ▢ ▢ 합동)

# 4 단계

# 삼각형의 각도

개념 동영상 강의

# 22 삼각형의 내각

## 22-1 삼각형의 내각

초 4학년: 삼각형의 세 각의 크기의 합
중 1학년: 삼각형의 내각과 외각

중등

• 삼각형의 내각: 삼각형에서 이웃하는 두 변으로 이루어진 ❶내부의 각

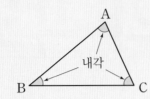

➡ 내각: ∠A, ∠B, ∠C

內角
〈안쪽 내, 뿔 각〉
안쪽에 있는 각이
라는 뜻이야~.

❶ 내부: 안쪽의 부분

중학교 교과서

**01** 오른쪽 삼각형에서 변 AB와 변 BC로 이루어진 내각을 찾아 표시하시오.

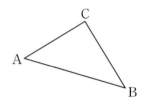

## 22-2 삼각형에서 세 내각의 합

초 4학년: 삼각형의 세 각의 크기의 합
중 1학년: 삼각형의 내각과 외각

중등

삼각형의 세 내각의 크기의 합은 $180°$이다.

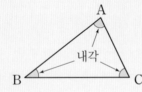

($\triangle$ABC의 세 내각의 크기의 합)
$= \angle A + \angle B + \angle C = 180°$

어떤 모양이라도 삼각형의
세 내각의 크기의 합은
항상 180°야.

잠깐만!

변 BC와 평행하고
점 A를 지나는 직
선 DE를 긋는다.

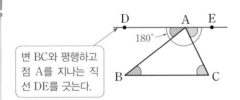

($\triangle$ABC의 세 내각의 크기의 합)
$= \angle$BAC$+ \angle$B$+ \angle$C
　　　　　(엇각)　(엇각)
$= \angle$BAC$+ \angle$DAB$+ \angle$EAC
$= 180°$　　　↳(평각)$=180°$

삼각형에서
세 내각의 합은
평각과 같으므로
세 내각의 합은
180°야.

**02** 다음 그림에서 $\angle x$의 크기를 구하시오.

(1)
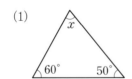

(2)
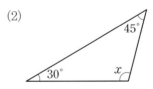

(3)
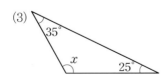

(4)
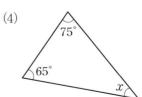

**03** 다음 그림에서 ∠$x$ + ∠$y$의 값을 구하시오.

(1)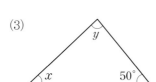

(2)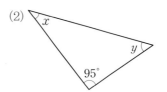

(3)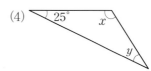

(4)

중학교 교과서

**04** 다음 그림에서 주어진 각의 크기를 각각 구하시오.

(1)에서 ∠$x$의 크기를 먼저 구한 후 ∠$y$의 크기를 구해!

(1)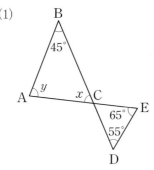

∠$x$ = ☐ , ∠$y$ = ☐

(2)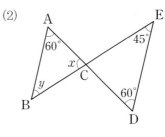

∠$x$ = ☐ , ∠$y$ = ☐

(3)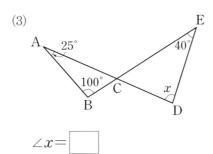

∠$x$ = ☐

(4)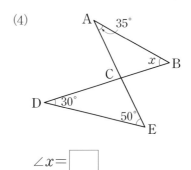

∠$x$ = ☐

**05** 오른쪽 그림에서 ∠BEC의 크기를 구하시오.

주어진 그림을 △ABC, △DBC, △EBC로 나누어 생각해.

① ∠ACB의 크기:

② ∠DBC의 크기:

③ ∠BEC의 크기:

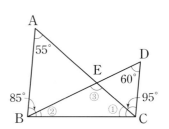

# 23 삼각형의 외각

## 23-1 삼각형의 외각

초 4학년: 삼각형의 세 각의 크기의 합
중 1학년: 삼각형의 내각과 외각

• 삼각형의 외각: 삼각형의 각 꼭짓점에서 한 변과 그 변에 이웃한 변의 연장선이 이루는 각

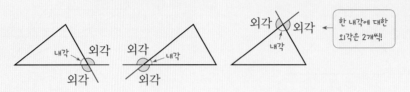

한 내각에 대한 외각은 2개씩!

**01** 중학교 교과서

오른쪽 삼각형에서 ∠B의 외각을 찾아 표시하고, 그 각의 크기를 구하시오.

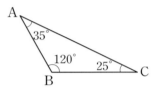

**02** 오른쪽 삼각형에서 ∠A, ∠B, ∠C의 외각의 크기를 각각 구하시오.

⑴ ∠A의 외각:

⑵ ∠B의 외각:

⑶ ∠C의 외각:

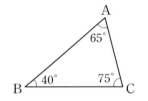

## 23-2 삼각형에서 내각과 외각의 관계

초 4학년: 삼각형의 세 각의 크기의 합
중 1학년: 삼각형의 내각과 외각

삼각형에서

(한 외각의 크기)=(그와 이웃하지 않는 두 내각의 크기의 합)

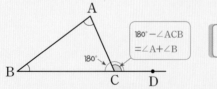

$180° - ∠ACB$
$= ∠A + ∠B$

$∠ACD = ∠A + ∠B$

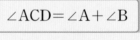

우리 둘의 크기의 합은

나의 크기와 같아!

잠깐만❗

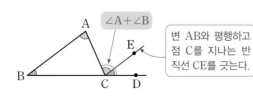

∠A + ∠B

변 AB와 평행하고 점 C를 지나는 반직선 CE를 긋는다.

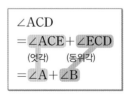

$∠ACD$
$= ∠ACE + ∠ECD$
(엇각)　　(동위각)
$= ∠A + ∠B$

한 외각의 크기는 그와 이웃하지 않는 두 내각의 크기의 합과 같아~.

중학교 교과서

**03** 다음 그림에서 ∠$x$의 크기를 구하시오.

(1)
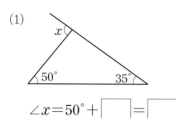

∠$x$＝50°＋□＝□

(2)
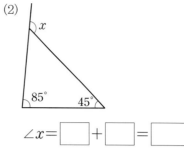

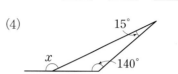
∠$x$＝□＋□＝□

(3)
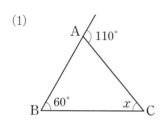

(4)
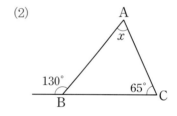

**04** 다음 그림에서 ∠$x$의 크기를 구하시오.

(1)
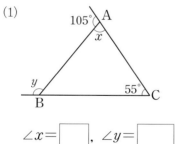

(2)
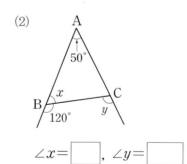

**05** 다음 그림에서 ∠$x$, ∠$y$의 크기를 각각 구하시오.

먼저 ∠$x$의 크기를 구한 후 ∠$y$의 크기를 구해.

(1)
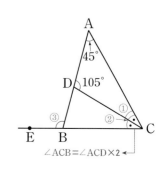

∠$x$＝□ , ∠$y$＝□

(2)

∠$x$＝□ , ∠$y$＝□

**06** 오른쪽 그림에서 ∠ACD＝∠DCB일 때, ∠EBD의 크기를 구하시오.

① ∠ACD의 크기:

② ∠ACB의 크기:

③ ∠EBD의 크기:

크기가 같은 각은 같은 표시(•)를 해!

∠ACB＝∠ACD×2

# 24 삼각형의 외각의 합 / 정삼각형의 외각

## 중등 24-1 삼각형에서 세 외각의 합

⑤1학년: 삼각형의 내각과 외각

삼각형의 세 외각의 크기의 합은 360°이다.

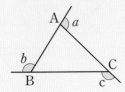

(삼각형의 세 외각의 크기의 합)
$= \angle a + \angle b + \angle c = 360°$

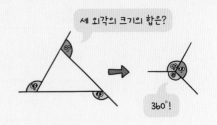

세 외각의 크기의 합은?

360°!

> 잠깐만!

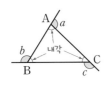

> (△ABC의 세 외각의 크기의 합)
> $= \dfrac{(\text{한 외각} + \text{한 내각}) \times 3 - (\text{세 내각의 크기의 합})}{180°}$
> $= \underline{180° \times 3} - 180° = 360°$
> ↑(세 외각의 합)+(세 내각의 합)

삼각형의 세 외각의 합은 항상 360°야.

중학교 교과서

**01** 다음 그림에서 ∠x의 크기를 구하시오.

(1)

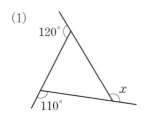

120°
110°
x

(2)

85°   150°
x

**02** 다음 그림에서 ∠x, ∠y의 크기를 각각 구하시오.

먼저 ∠x의 크기를 구한 후 ∠y의 크기를 구해.

(1)

y
100°   35°
x

$\angle x = 180° - \boxed{\phantom{00}} = \boxed{\phantom{00}}$

$\angle y = \boxed{\phantom{00}}$

(2)

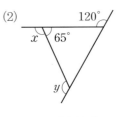

120°
x  65°
y

$\angle x = \boxed{\phantom{00}}$, $\angle y = \boxed{\phantom{00}}$

**03** 다음 그림에서 ∠x의 크기를 구하시오.

(1)

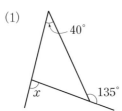

40°
x   135°

(2)

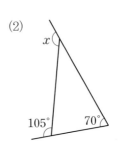

x
105°   70°

## 24-2 정삼각형의 한 외각의 크기 구하기

초4학년: 정삼각형의 성질
중1학년: 삼각형의 내각과 외각

정삼각형에서 세 외각의 크기는 모두 같다.

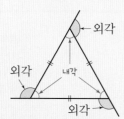

$$(한\ 외각의\ 크기)=\frac{360°}{3} \leftarrow 삼각형의\ 세\ 외각의\ 합$$
$$\leftarrow (꼭짓점의\ 수)=(각의\ 수)$$
$$=120°$$

정삼각형에서 세 내각의 크기는 모두 같으니까 세 외각의 크기도 모두 같아.

초등쌤
정삼각형은 세 변의 길이가 모두 같은 삼각형이야.
3 cm 3 cm
3 cm

**04** 오른쪽 그림에서 △ABC는 정삼각형이다. ∠A, ∠B, ∠C의 외각의 크기를 각각 구하시오.

⑴ ∠A의 외각:

⑵ ∠B의 외각:

⑶ ∠C의 외각:

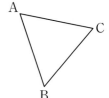

중학교 교과서

**05** 다음 그림에서 △ABC는 정삼각형일 때, ∠$x$의 크기를 구하시오.

⑴
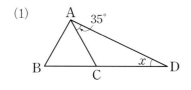

⑵
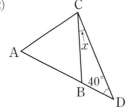

**06** 오른쪽 그림에서 △ABC는 정삼각형이다. $\overline{BC}$의 연장선 위에 점 E가 있고, ∠ABD=∠DBC일 때, ∠DCE의 크기를 구하시오.

① ∠ABC의 크기:

② ∠DBC의 크기:

③ ∠DCE의 크기:

정삼각형은 세 내각의 크기가 모두 같아!

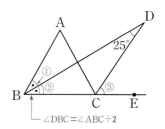
∠DBC=∠ABC÷2

# 25 직각삼각형의 각도 구하기

## 25-1 직각삼각형에서 각도 구하기 (1)

초 3학년: 직각삼각형
중 1학년: 삼각형의 내각과 외각

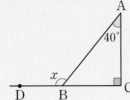

초등쌤
직각삼각형은 한 각이 직각인 삼각형이야.

예) △ABC는 직각삼각형일 때, ∠x(∠ABC의 외각)의 크기 구하기

$\angle x = \boxed{\angle A + \angle C}$ → ∠x와 이웃하지 않는 두 내각
$= 40° + 90°$
$= 130°$

한 외각의 크기는 그와 이웃하지 않는 두 ① 내각의 크기의 합과 같아.

❶ 내각: 다각형에서 이웃하는 두 변으로 이루어진 내부의 각

**01** 다음 그림은 직각삼각형일 때, ∠x의 크기를 구하시오.

(1)
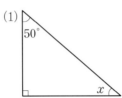

(2)
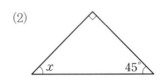

(3)
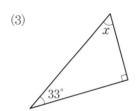

(4)
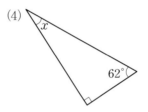

중학교 교과서
**02** 다음 그림에서 △ABC는 직각삼각형일 때, ∠x의 크기를 구하시오.

삼각형에서 내각과 외각의 관계를 이용하여 ∠x의 크기를 구해.

(1)
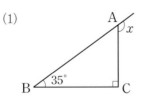

$\angle x = 35° + \boxed{\phantom{00}} = \boxed{\phantom{00}}$

(2)
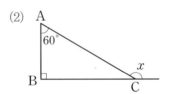

(3)
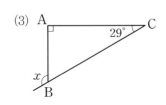

(4)
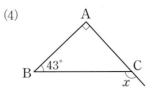

## 25-2 직각삼각형에서 각도 구하기 (2)

**예** △ABC는 직각삼각형일 때, ∠x의 크기 구하기

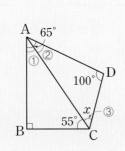

① △ABC에서

$$\angle BAC = 180° - (90° + 55°)$$
$$= 35°$$

➡ ② ∠CAD = 65° - 35° = 30°

③ △ACD에서

$$\angle x = 180° - (30° + 100°)$$
$$= \mathbf{50°}$$

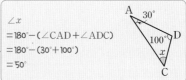

∠BAC
= 180° - (∠ABC + ∠ACB)
= 180° - (90° + 55°)
= 35°

∠x
= 180° - (∠CAD + ∠ADC)
= 180° - (30° + 100°)
= 50°

**03** 다음 그림에서 ∠x, ∠y의 크기를 각각 구하시오.

먼저 ∠x의 크기를 구한 후 ∠y의 크기를 구해.

(1)
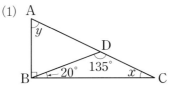

∠x = ☐ , ∠y = ☐

(2)
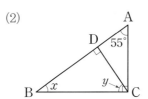

∠x = ☐ , ∠y = ☐

중학교 교과서

**04** 다음 그림에서 ∠x의 크기를 구하시오.

(1)
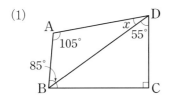

(2)
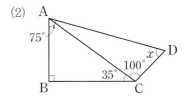

**05** 오른쪽 그림에서 △ABC는 직각삼각형이고, ∠ABD = ∠DBC일 때, ∠BAC의 크기를 구하시오.

① ∠DBC의 크기:

② ∠ABC의 크기:

③ ∠BAC의 크기:

∠ABC = ∠DBC × 2

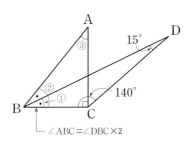

## 26-1 이등변삼각형의 성질 (1) – 두 밑각

중등

초 4학년: 이등변삼각형의 성질
중 2학년: 이등변삼각형의 성질

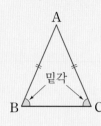

$\overline{AB}=\overline{AC}$인 이등변삼각형에서

① 밑각: 길이가 같은 두 변과 나머지 한 변이 만나서 이루는 각
   ➡ ∠B, ∠C

② 두 밑각의 크기는 서로 같다. ← 이등변삼각형의 성질
   ➡ ∠B=∠C

초등쌤
이등변삼각형은 두 변의 길이가 같은 삼각형이야.

5 cm  5 cm

두 밑각의 크기가 같은 삼각형은 이등변삼각형이야~.

잠깐만!

| 꼭지각 | 밑변 | 밑각 |
|---|---|---|
| | | |
| 길이가 서로 같은 두 변이 만나서 이루는 각 ➡ ∠A | 꼭지각과 마주 보는 변 ➡ $\overline{BC}$ | 밑변의 양 끝 각 ➡ ∠B, ∠C |

중학교 교과서

**01** 다음 그림은 이등변삼각형일 때, ∠$x$의 크기를 구하시오.

(1)
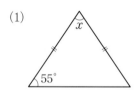
55°

(2)
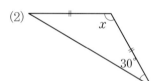
30°

(3)
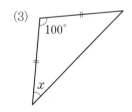
100°

(4)
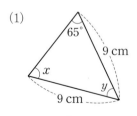
40°

**02** 다음 그림에서 ∠$x$, ∠$y$의 크기를 각각 구하시오.

(1)
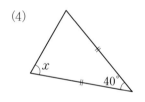
65°
9 cm
9 cm

∠$x$=☐, ∠$y$=☐

(2)
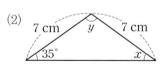
7 cm  7 cm
35°

∠$x$=☐, ∠$y$=☐

## 26-2 이등변삼각형의 외각의 크기 구하기

🔵 4학년: 이등변삼각형의 성질
🟢 2학년: 이등변삼각형의 성질

(예) $\overline{AB}=\overline{AC}$인 이등변삼각형에서 $\angle ACD$($\angle ACB$의 외각)의 크기 구하기

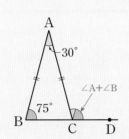

방법1 $\angle ACD = 180° - \boxed{\angle ACB}$ ← $\angle ACB = \angle B = 75°$
$= 180° - 75°$
$= 105°$

방법2 $\angle ACD = \angle A + \angle B$
$= 30° + 75°$
$= 105°$

삼각형에서 한 외각의 크기는 그와 이웃하지 않는 두 내각의 크기의 합과 같아.

**03** 다음 그림에서 △ABC는 이등변삼각형일 때, $\angle x$, $\angle y$의 크기를 각각 구하시오.

(1)
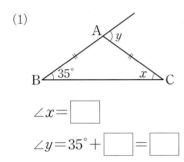

$\angle x = \boxed{\phantom{00}}$

$\angle y = 35° + \boxed{\phantom{00}} = \boxed{\phantom{00}}$

(2)

$\angle x = \boxed{\phantom{00}}$, $\angle y = \boxed{\phantom{00}}$

중학교 교과서
**04** 다음 그림에서 △ABC는 이등변삼각형일 때, $\angle x$의 크기를 구하시오.

(1)
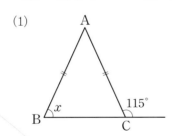

(2)
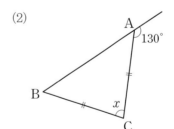

**05** 오른쪽 그림에서 $\overline{BD}=\overline{DC}=\overline{AC}$일 때, $\angle DAC$의 크기를 구하시오.

① $\angle DCB$의 크기:

② $\angle ADC$의 크기:

③ $\angle DAC$의 크기:

주어진 그림을 △DBC와 △ADC로 나누어서 생각해 봐.

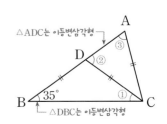

# 27 이등변삼각형의 각도 구하기 (2)

## 27-1 이등변삼각형의 성질 (2) – 꼭지각의 이등분선

초 4학년: 이등변삼각형의 성질
중 2학년: 이등변삼각형의 성질

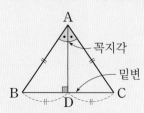

$\overline{AB}=\overline{AC}$인 이등변삼각형에서

❶꼭지각을 이등분하는 $\overline{AD}$를 그으면 (똑같이 둘로 나눈다.)
❷밑변을 수직이등분한다. ← 이등변삼각형의 성질
① $\overline{AD}$는 밑변과 수직으로 만난다. → $\overline{AD}\perp\overline{BC}$
② $\overline{AD}$는 밑변을 이등분한다. → $\overline{BD}=\overline{CD}$

❶ 꼭지각: 길이가 서로 같은 두 변이 만나서 이루는 각 ➡ ∠A
❷ 밑변: 꼭지각과 마주 보는 변 ➡ $\overline{BC}$

이등변삼각형에서 밑변을 수직이등분하는 선분을 그으면 선분은 꼭지각을 이등분해!

잠깐만!

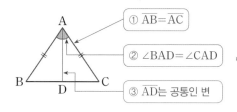

① $\overline{AB}=\overline{AC}$
② ∠BAD=∠CAD
③ $\overline{AD}$는 공통인 변

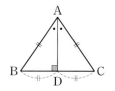

①, ②, ③에서
△ABD≡△ACD(SAS 합동)
• ∠ADB=∠ADC=180°÷2=90°
➡ $\overline{AD}\perp\overline{BC}$
• $\overline{BD}=\overline{CD}$

**01** 오른쪽 그림은 이등변삼각형 ABC에서 ∠A를 이등분하는 $\overline{AD}$를 그은 것이다. 옳지 않은 것을 찾아 기호를 쓰시오.

㉠ $\overline{AD}\perp\overline{BC}$    ㉡ $\overline{BD}=\overline{CD}$    ㉢ ∠ABD=∠CAD

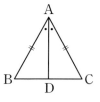

중학교 교과서

**02** 이등변삼각형 ABC에서 ∠A의 이등분선과 $\overline{BC}$의 교점이 D일 때, ∠x, ∠y의 크기를 각각 구하시오.

(1)
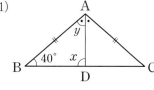

∠x= ☐

∠y=180°−(40°+☐)=☐

(2)
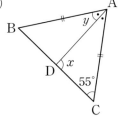

∠x= ☐ , ∠y= ☐

**03** $\overline{AB}=\overline{AC}$인 이등변삼각형 ABC에서 $\overline{AD}\perp\overline{BC}$일 때, ∠x의 크기를 구하시오.

주어진 그림에서 $\overline{AD}\perp\overline{BC}$이므로 $\overline{AD}$는 ∠A를 이등분해.

(1)
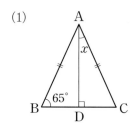

(2)
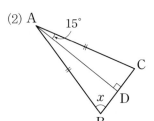

**064** 도형의 각도

## 27-2 직사각형 모양의 종이를 접었을 때 생기는 삼각형

중등

초 4학년: 이등변삼각형의 성질
중 2학년: 이등변삼각형의 성질

**예** 직사각형 모양의 종이를 접었을 때, 생기는 △ABC 알아보기

① $\overline{DG} /\!/ \overline{EF}$이므로
∠ACB＝∠GAC(엇각)
＝② 접은 각의 크기는 같으므로
∠BAC＝∠GAC ◀
③➡ ∠ACB＝∠BAC이므로
△ABC는 $\overline{BA}＝\overline{BC}$인 이등변삼각형이다.

접은 각의 크기는 같다.
➡ ∠BAC＝∠GAC

---

**04** 다음 그림과 같이 직사각형 모양의 종이를 접었을 때, $\overline{BC}$의 길이를 구하는 과정이다. □ 안에 알맞은 것을 써넣으시오.

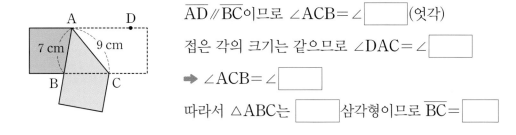

$\overline{AD} /\!/ \overline{BC}$이므로 ∠ACB＝∠□(엇각)

접은 각의 크기는 같으므로 ∠DAC＝∠□

➡ ∠ACB＝∠□

따라서 △ABC는 □삼각형이므로 $\overline{BC}＝$□

---

**05** 오른쪽 그림과 같이 직사각형 모양의 종이를 접었을 때, ∠BAC의 크기를 구하시오.

평행선의 성질과 접은 각의 크기는 같다는 것을 이용하여 주어진 각의 크기를 구해!

① ∠ACB의 크기:

② ∠ABC의 크기:

③ ∠BAC의 크기:

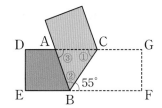

---

중학교 교과서

**06** 다음 그림과 같이 직사각형 모양의 종이를 접었을 때, $x$의 값을 구하시오.

(1)

△ABC는 어떤 삼각형인지 알아본다.

(2)

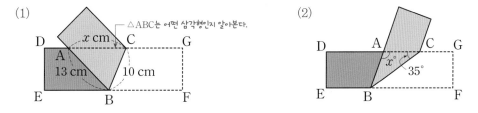

# 28 원 안의 삼각형의 각도 구하기

## 28-1 원의 두 반지름을 이용하여 그린 삼각형

중등

초 3학년: 원의 성질
중 1학년: 원과 원주율

예 원의 두 반지름을 이용하여 그린 △OAB 알아보기

① 원에서 반지름의 길이는 모두 같다.
→ $\overline{OA} = \overline{OB}$
② 따라서 △OAB는 $\overline{OA} = \overline{OB}$인 이등변삼각형이다.

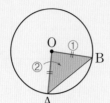

원의 두 반지름으로 그린 삼각형은 항상 이등변삼각형이야.

**01** 오른쪽 그림에서 $\overline{OA}$와 $\overline{OB}$는 원 O의 반지름일 때, △AOB의 이름을 쓰시오.

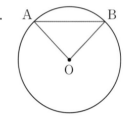

중학교 교과서

**02** 오른쪽 그림에서 $\overline{AB}$의 길이가 원 O의 반지름의 길이와 같을 때, △ABO의 이름이 될 수 있는 것을 모두 찾아 기호를 쓰시오.

$\overline{OA} = \overline{OB} = \overline{AB}$

㉠ 직각삼각형　　㉡ 이등변삼각형　　㉢ 정삼각형

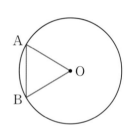

## 28-2 원 안의 삼각형에서 각도 구하기

중등

초 3학년: 원의 성질
중 1학년: 원과 원주율

예 ∠$x$의 크기 구하기

삼각형의 세 내각의 크기의 합은 항상 180°야!

① △OAB는 이등변삼각형이므로
　∠OAB=60°
② △OAB의 세 내각의 크기의 합은 180°이므로
　∠$x$=180°−(∠OAB+60°)
　　=180°−(60°+60°)=**60°**

$\overline{OA} = \overline{OB}$이므로
△OAB는 이등변삼각형
→ ∠OAB=∠OBA
　　　=60°

**03** 오른쪽 그림에서 $\overline{OA}$와 $\overline{OB}$는 원의 반지름일 때, ∠OBA의 크기를 구하시오.

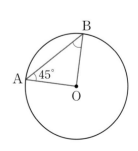

**04** 다음 그림에서 $\angle x$, $\angle y$의 크기를 각각 구하시오.

(1)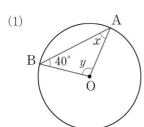

$\angle x=\boxed{\phantom{00}}$

$\angle y=180°-(40°+\boxed{\phantom{00}})=\boxed{\phantom{00}}$

(2)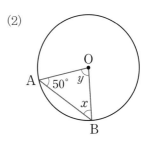

$\angle x=\boxed{\phantom{00}}$, $\angle y=\boxed{\phantom{00}}$

(3)

$\angle x=\boxed{\phantom{00}}$, $\angle y=\boxed{\phantom{00}}$

(4)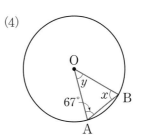

$\angle x=\boxed{\phantom{00}}$, $\angle y=\boxed{\phantom{00}}$

중학교 교과서

**05** 다음 그림에서 $\angle x$의 크기를 구하시오.

(1)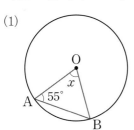

(2)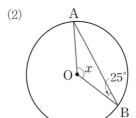

(3)

(4)

**06** 오른쪽 그림에서 $\angle OAB=50°$, $\angle OCB=65°$일 때, $\angle AOC$의 크기를 구하시오.

△OAB와 △OBC는 어떤 삼각형인지 알아봐.

① $\angle AOB$의 크기:

② $\angle BOC$의 크기:

③ $\angle AOC$의 크기:

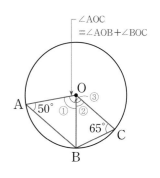

$\angle AOC$
$=\angle AOB+\angle BOC$

# 29 삼각형이 겹쳐진 경우의 각도 구하기

**예** ∠$x$의 크기 구하기

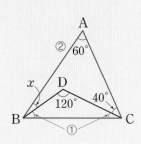

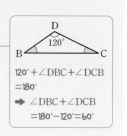

① △DBC의 세 내각의 크기의 합은 180°이므로
∠DBC + ∠DCB = 180° − 120° = 60°

② △ABC의 세 내각의 크기의 합은 180°이므로
$$\underset{\angle A}{60°} + \underset{\angle ABC}{\angle x} + \underset{\angle ACB}{\angle DBC + \angle DCB + 40°} = 180°,$$
$$60° + \angle x + 60° + 40° = 180°$$
➡ ∠$x$ = 20°

120° + ∠DBC + ∠DCB = 180°
➡ ∠DBC + ∠DCB = 180° − 120° = 60°

---

**01** 다음 그림에서 ∠$x$의 크기를 구하는 과정이다. □ 안에 알맞은 것을 써넣으시오.

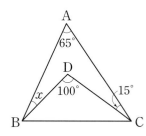

△DBC에서 ∠DBC + ∠DCB = □

△ABC에서 65° + ∠$x$ + ∠DBC + ∠DCB + □ = 180°,

65° + ∠$x$ + □ + □ = 180° ➡ ∠$x$ = □

---

**02** 오른쪽 그림에서 ∠$x$의 크기를 구하시오.

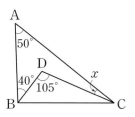

---

먼저 △ABC에서
∠DBC + ∠DCB의
값을 구해.

**03** 다음 그림에서 ∠$x$의 크기를 구하시오.

(1)
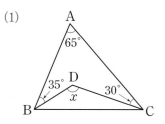

(2)
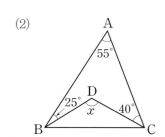

---

## 29-2 겹쳐진 삼각형에서 각도 구하기 (2)

중등

초4학년: 삼각형의 세 각의 크기의 합
중1학년: 삼각형의 내각과 외각

예) ∠ACE=∠ECD일 때, ∠$x$의 크기 구하기

(한 외각의 크기)
= (그와 이웃하지
않는 두 내각의
크기의 합)

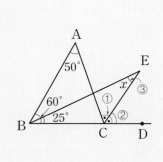

① △ABC에서
∠ACD=50°+60°=110°

② ∠ACE=∠ECD이므로
➡ ∠ECD=110°÷2=55°

③ △EBC에서
∠ECD=∠$x$+25°
➡ 55°=∠$x$+25°, ∠$x$=**30°**

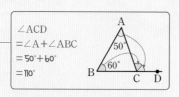

∠ACD
=∠A+∠ABC
=50°+60°
=110°

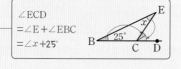

∠ECD
=∠E+∠EBC
=∠$x$+25°

**04** 다음 그림에서 ∠ACE=∠ECD일 때, ∠$x$의 크기를 구하는 과정이다. □ 안에 알맞은 것을 써넣으시오.

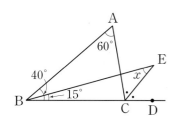

△ABC에서 ∠ACD=□+40°=□

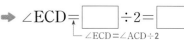

➡ ∠ECD=□÷2=□
└ ∠ECD=∠ACD÷2

△EBC에서 ∠ECD=∠$x$+15°

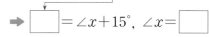

➡ □=∠$x$+15°, ∠$x$=□

중학교 교과서

**05** 오른쪽 그림에서 ∠ACE=∠ECD일 때, ∠BAC의 크기를 구하시오.

① ∠ECD의 크기:

② ∠ACD의 크기:

③ ∠BAC의 크기:

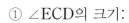
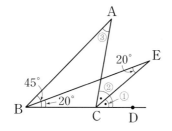

**06** 오른쪽 그림에서 △EBC는 $\overline{BC}=\overline{CE}$인 이등변삼각형일 때, ∠ACE의 크기를 구하시오.

① ∠ECD의 크기:

② ∠ACD의 크기:

③ ∠ACE의 크기:

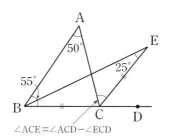

∠ACE=∠ACD−∠ECD

# 30 삼각형의 외심

### 중등 30-1  삼각형의 외접원과 외심

중 2학년: 삼각형의 외심

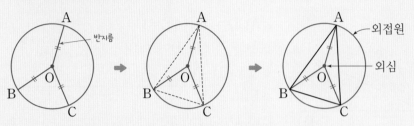

外接
〈바깥 외, 접할 접〉
도형의 바깥으로
만난다는 뜻이야.

① 외접: 삼각형의 세 꼭짓점이 모두 원 위에 있을 때

② 외접원: 삼각형의 세 꼭짓점이 모두 원 위에 있을 때의 원 ➡ 원 O

③ 외심: 외접원의 중심 ➡ 점 O

④ 삼각형의 외심에서 세 꼭짓점까지의 거리는 모두 같다.
   ➡ $\overline{OA} = \overline{OB} = \overline{OC}$     ↳ 외접원의 반지름

잠깐만!

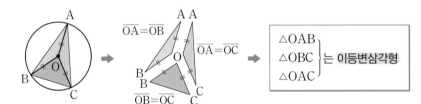

$\overline{OA} = \overline{OB}$     $\overline{OA} = \overline{OC}$
$\overline{OB} = \overline{OC}$

$\triangle OAB$
$\triangle OBC$  는 이등변삼각형
$\triangle OAC$

외심에서 꼭짓점에 그은 선분으로 나누어진 삼각형은 모두 이등변삼각형이야.

---

중학교 교과서

**01** 오른쪽 그림에서 점 O가 △ABC의 외심일 때, 다음 중 옳지 <u>않은</u> 것을 모두 고르면?

① $\overline{OA} = \overline{OB}$          ② $\overline{AB} = \overline{OC}$

③ $\overline{OB} = \overline{OC}$          ④ $\angle OAB = \angle OAC$

⑤ $\angle OBC = \angle OCB$

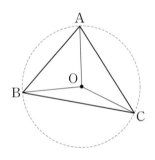

**02** 오른쪽 그림에서 점 O가 △ABC의 외심일 때, $x$, $y$에 알맞은 수를 각각 구하시오.

$x = \boxed{\phantom{00}}$ , $y = \boxed{\phantom{00}}$

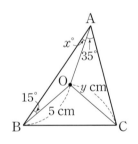

**03** 오른쪽 그림에서 점 O가 △ABC의 외심일 때, $\angle x$, $\angle y$의 크기를 각각 구하시오.

먼저 △OAC는 어떤 삼각형인지 알아봐!

$\angle x = \boxed{\phantom{00}}$ , $\angle y = \boxed{\phantom{00}}$

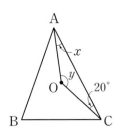

## 30-2 삼각형의 외심의 성질을 이용하여 각도 구하기

중등

중 2학년: 삼각형의 외심

점 O가 △ABC의 외심일 때,

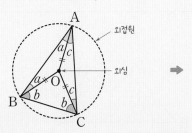 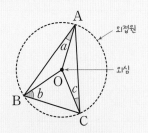

점 O가 △ABC의 외심일 때 생기는 3개의 삼각형은 모두 이등변삼각형이야.

$$\angle A + \angle B + \angle C$$
$$= (\angle a + \angle c) + (\angle a + \angle b) + (\angle b + \angle c)$$
$$= (\angle a + \angle b + \angle c) \times 2 = 180°$$

$$\angle a + \angle b + \angle c$$
$$= 180° \div 2 = 90°$$

**04** 다음 그림에서 점 O가 △ABC의 외심일 때, ∠x의 크기를 구하시오.

(1)
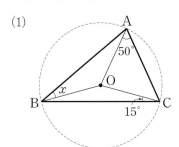

(2)
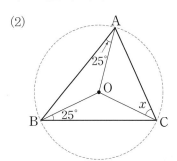

**05** 다음 그림에서 점 O가 △ABC의 외심일 때, ∠x, ∠y의 크기를 각각 구하시오.

(1)
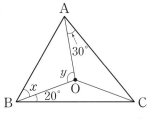

∠x = ☐ , ∠y = ☐

(2)
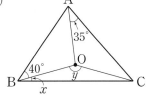

∠x = ☐ , ∠y = ☐

중학교 교과서

**06** 다음 그림에서 점 O가 △ABC의 외심일 때, ∠x의 크기를 구하시오.

점 O가 △ABC의 외심일 때, 생기는 3개의 삼각형은 어떤 삼각형인지 알아봐.

(1)
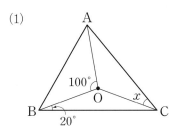

(2)
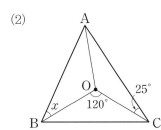

# 31 삼각형의 내심

## 중등 31-1 삼각형의 내접원과 내심

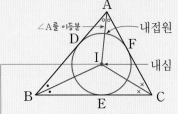 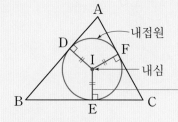 

① 내접: 원이 △ABC의 세 변에 모두 접할 때 →만난다.

② 내접원: 원이 △ABC의 세 변에 모두 접할 때의 원 ➡ 원 I

③ 내심: 내접원의 중심 ➡ 점 I

④ 삼각형의 세 내각의 이등분선은 한 점(내심)에서 만난다.

➡ ∠IAD=∠IAF, ∠IBD=∠IBE, ∠ICE=∠ICF

⑤ 삼각형의 내심에서 세 변까지의 거리는 모두 같다.
→내접원의 반지름의 길이

➡ $\overline{ID}=\overline{IE}=\overline{IF}$

잠깐만 !

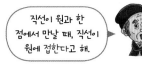
직선이 원과 한 점에서 만날 때, 직선이 원에 접한다고 해.

직선이 원에 접할 때,
① 접선: 원에 접하는 직선
② 접점: 접선이 원과 만나는 점
수직
접점  접선

원의 접선은 접점을 지나는 반지름과 수직이야.

---

**01** 오른쪽 그림에서 점 I가 △ABC의 내심일 때, 옳은 것에는 ○표, 옳지 않은 것에는 ×표 하시오.

(1) ∠IBE와 ∠ICE의 크기가 같다. (          )

(2) $\overline{IE}$와 $\overline{IF}$의 길이가 같다. (          )

(3) ∠IAD와 ∠IAF의 크기가 같다. (          )

(4) $\overline{IA}$와 $\overline{IC}$의 길이가 같다. (          )

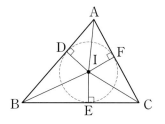

---

**02** 다음 그림에서 점 I가 △ABC의 내심일 때, ∠$x$의 크기를 구하시오.

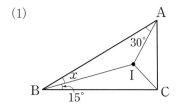
삼각형의 내심은 세 내각의 이등분선이 만나는 점이야.

(1)
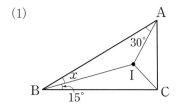

(2)
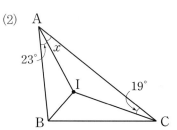

## 중등 31-2 삼각형의 내심의 성질을 이용하여 각도 구하기

중 2학년: 삼각형의 내심

점 I가 △ABC의 내심일 때,

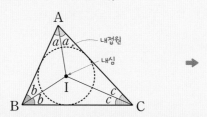 ➡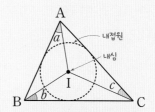

$$\angle A + \angle B + \angle C$$
$$= (\angle a + \angle a) + (\angle b + \angle b) + (\angle c + \angle c)$$
$$= (\angle a + \angle b + \angle c) \times 2 = 180°$$

$$\angle a + \angle b + \angle c$$
$$= 180° \div 2 = 90°$$

중학교 교과서

**03** 다음 그림에서 점 I가 △ABC의 내심일 때, $\angle x$의 크기를 구하시오.

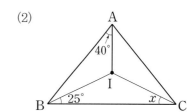

**04** 다음 그림에서 점 I가 △ABC의 내심일 때, $\angle x$, $\angle y$의 크기를 각각 구하시오.

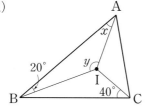

(1) $\angle x = \boxed{\phantom{00}}$, $\angle y = \boxed{\phantom{00}}$

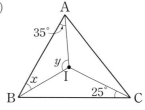

(2) $\angle x = \boxed{\phantom{00}}$, $\angle y = \boxed{\phantom{00}}$

**05** 다음 그림에서 점 I가 △ABC의 내심일 때, $\angle x$의 크기를 구하시오.

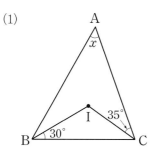

(1)에서 ∠IBA, ∠ICB의 크기를 먼저 구해!

**01** 다음 삼각형에서 변 AC와 변 BC로 이루어진 내각을 찾아 표시하시오.

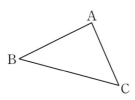

**02** 다음 삼각형에서 ∠C의 외각을 찾아 표시하고, 그 각의 크기를 구하시오.

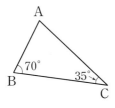

**03** 다음 그림에서 ∠$x$의 크기를 구하시오.

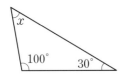

**[04~05]** 다음 그림에서 ∠$x$의 크기를 구하시오.

**04**

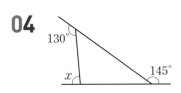

**05**

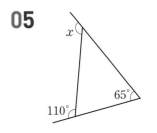

삼각형의 세 외각의 크기의 합은 항상 360°야.

**06** 다음 그림에서 ∠$x$의 크기를 구하시오.

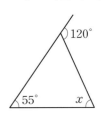

**07** 다음 그림에서 △ABC는 ∠A=90°인 직각삼각형이다. ∠$x$의 크기를 구하시오.

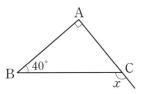

**08** 다음 그림은 $\overline{AB}=\overline{AC}$인 이등변삼각형일 때, ∠$x$의 크기를 구하시오.

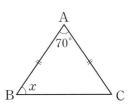

**09** 다음 그림에서 ∠CED의 크기를 구하시오.

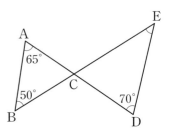

**10** 다음 그림에서 △ABC는 $\overline{AB}=\overline{AC}$인 이등변삼각형일 때, $\angle x$의 크기를 구하시오.

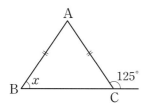

**11** 다음 그림에서 △ABC는 정삼각형일 때, $\angle x$의 크기를 구하시오.

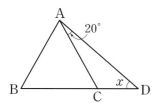

**12** 다음 그림에서 $\angle x$, $\angle y$의 크기를 각각 구하시오.

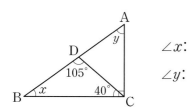

$\angle x$:

$\angle y$:

**13** 다음 그림과 같이 $\overline{AB}=\overline{AC}$인 이등변삼각형 ABC에서 $\angle A$의 이등분선과 $\overline{BC}$의 교점을 D라고 할 때, $\angle x$, $\angle y$의 크기를 각각 구하시오.

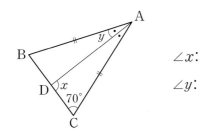

$\angle x$:

$\angle y$:

**14** 다음 그림과 같이 $\overline{AB}=\overline{AC}$인 이등변삼각형 ABC에서 $\overline{AD}\perp\overline{BC}$일 때, $\angle x$, $\angle y$의 크기를 각각 구하시오.

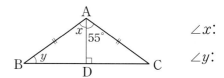

$\angle x$:

$\angle y$:

**15** 다음 그림에서 $\overline{OA}$와 $\overline{OB}$는 원 O의 반지름일 때, $\angle x$의 크기를 구하시오.

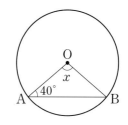

**16** 다음 그림에서 점 O가 △ABC의 외심일 때, $x$, $y$에 알맞은 값을 각각 구하시오.

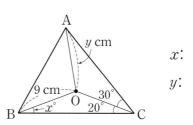

$x$:

$y$:

**17** 다음 그림에서 점 I가 △ABC의 내심일 때, $\angle x$의 크기를 구하시오.

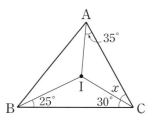

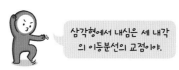
삼각형에서 내심은 세 내각의 이등분선의 교점이야.

# 32 실력 확인 TEST

**[18~19]** 다음 그림과 같이 직사각형 모양의 종이를 접었을 때, $x$의 값을 구하시오.

**18**

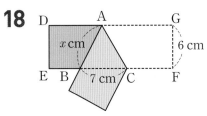

**19**

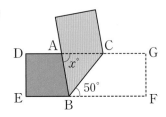

**[20~21]** 다음 그림에서 점 O가 △ABC의 외심일 때, ∠$x$의 크기를 구하시오.

**20**

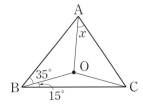

**21**

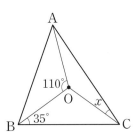

△OAB는 어떤
삼각형인지 알아봐.

**22** 다음 그림에서 ∠$x$의 크기를 구하시오.

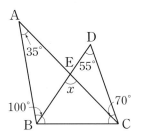

**23** 다음 그림에서 점 I가 △ABC의 내심일 때, ∠$x$의 크기를 구하시오.

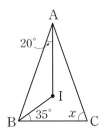

**24** 다음 그림에서 ∠$x$의 크기를 구하시오.

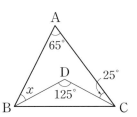

**25** 다음 그림에서 점 D는 $\overline{BC}$의 연장선 위의 점이고, ∠ACE=∠ECD일 때, ∠ABC의 크기를 구하시오.

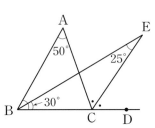

# 5 단계

# 사각형의 각도

개념 동영상 강의

# 33 사각형의 내각과 외각

## 33-1 사각형의 내각

초 4학년: 사각형의 네 각의 크기의 합
중 1학년: 다각형의 내각의 크기의 합

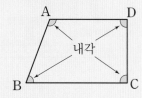

(1) 사각형의 **❶내각**

➡ 내각: ∠A, ∠B, ∠C, ∠D

초등쌤
사각형은 변이 4개, 꼭짓점이 4개인 도형이야.

안쪽에 있는 각을 내각이라고 해.

(2) 사각형의 네 내각의 크기의 합은 360°이다.

(□ABCD의 네 내각의 크기의 합)=∠A+∠B+∠C+∠D=360°

❶ 내각: 다각형에서 이웃하는 두 변으로 이루어진 내부의 각

잠깐만!

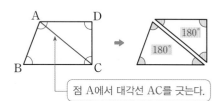

(□ABCD의 네 내각의 크기의 합)
=(삼각형의 세 내각의 크기의 합)×2
=180°×2=360°

점 A에서 대각선 AC를 긋는다.

사각형은 삼각형 2개로 나눌 수 있으므로 삼각형의 세 내각의 합의 2배야~.

중학교 교과서

**01** 다음 그림에서 ∠x의 크기를 구하시오.

(1)
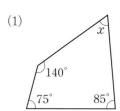

(2)
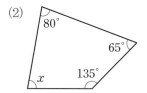

**02** 다음 그림에서 ∠x+∠y의 값을 구하시오.

(1)
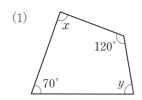

(2)
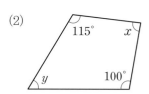

**03** 오른쪽 그림에서 ∠BCD의 크기를 구하시오.

먼저 ∠ADC의 크기를 구해!

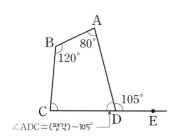
∠ADC=(평각)-105°

## 중등 33-2 사각형의 외각

중 1학년: 다각형의 외각의 크기의 합

(1) 사각형의 ❶외각

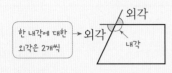 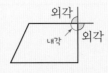 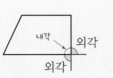  

한 내각에 대한 외각은 2개씩

(2) 사각형의 네 외각의 크기의 합은 360°이다.

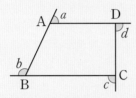

(사각형의 네 외각의 크기의 합)
$= \angle a + \angle b + \angle c + \angle d = 360°$

❶ 외각: 다각형의 각 꼭짓점에서 한 변과 그 변에 이웃한 변의 연장선이 이루는 각

잠깐만!

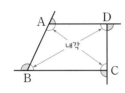

(□ABCD의 네 외각의 크기의 합)
=(한 외각＋한 내각)×4－(네 내각의 크기의 합)
→ 180°
=180°×4－360°＝360°
└(네 외각의 합)＋(네 내각의 합)

사각형은 내각의 합도, 외각의 합도 모두 360°야.

중학교 교과서

**04** 다음 그림에서 ∠x의 크기를 구하시오.

(1)
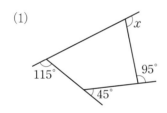

(2)
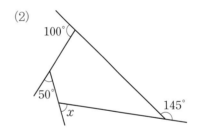

**05** 다음 그림에서 ∠x＋∠y의 값을 구하시오.

(1)
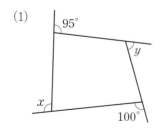

(2)
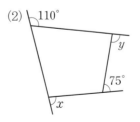

**06** 오른쪽 그림에서 ∠x의 크기를 구하시오.

(∠x의 외각)
＝180°－∠x

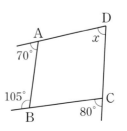

# 34 평행사변형의 각도 구하기

**중등 34-1 평행사변형의 성질(1)**

초 4학년: 여러 가지 사각형
중 2학년: 평행사변형의 성질

평행사변형은 두 쌍의 마주 보는 변이 각각 평행한 사각형이야.

평행사변형에서

① 두 쌍의 ❶대변의 길이는 각각 서로 같다.

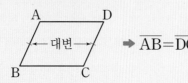

② 두 쌍의 ❷대각의 크기는 각각 서로 같다.

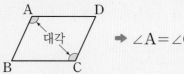
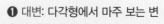

❶ 대변: 다각형에서 마주 보는 변
❷ 대각: 다각형에서 마주 보는 각

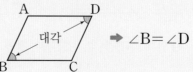

마주 보는 변이 평행할 때, 아래 그림과 같이 화살표로 나타내.

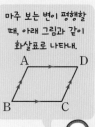

**01** 오른쪽 평행사변형 ABCD에서 옳지 않은 것을 찾아 기호를 쓰시오.

　⊙ $\overline{AD}=12\ cm$ 　　 ⓛ $\angle A=75°$ 　　 ⓒ $\angle D=75°$

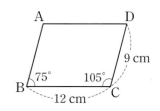

중학교 교과서

**02** 다음 그림은 평행사변형일 때, $\angle x$, $\angle y$의 크기를 각각 구하시오.

(1) 70°　　 $x$
　　110°　　 $y$

$\angle x=\boxed{\ \ }$,　 $\angle y=\boxed{\ \ }$

(2) $x$　　55°
　　$y$　　125°

$\angle x=\boxed{\ \ }$,　 $\angle y=\boxed{\ \ }$

엇각

180°

(이웃하는 두 각의 크기의 합)=180°

**03** 평행사변형 ABCD에서 $\angle x$의 크기를 구하시오.

(1) A 65° D
　　　$x$
　B　　　 C

(2) A　　　 D
　125°　　 $x$
　B　　　 C

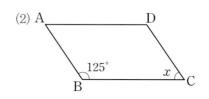

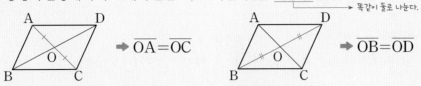

초 4학년: 여러 가지 사각형
중 2학년: 평행사변형의 성질

중등 **34-2 평행사변형의 성질** (2)

평행사변형에서 두 **①대각선**은 서로 다른 것을 이등분한다. → 똑같이 둘로 나눈다.

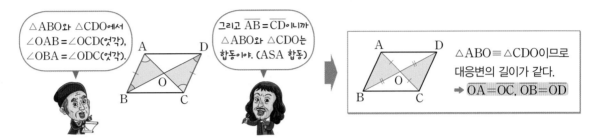

→ $\overline{OA}=\overline{OC}$        → $\overline{OB}=\overline{OD}$

**①** 대각선: 다각형에서 서로 이웃하지 않는 두 꼭짓점을 이은 선분

잠깐만!

△ABO와 △CDO에서
∠OAB=∠OCD(엇각),
∠OBA=∠ODC(엇각).

그리고 $\overline{AB}=\overline{CD}$이니까
△ABO와 △CDO는
합동이야. (ASA 합동)

△ABO≡△CDO이므로
대응변의 길이가 같다.
→ $\overline{OA}=\overline{OC}, \overline{OB}=\overline{OD}$

* 두 삼각형에서 한 쌍의 대응변의 길이가 같고, 그 양 끝 각의 크기가 각각 같을 때 **ASA 합동**이다.

---

**04** 평행사변형 ABCD에서 두 대각선의 교점이 O일 때, $x$, $y$에 알맞은 값을 각각 구하시오. → 선과 선이 만나서 생기는 점

(1)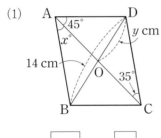

$x=\boxed{\phantom{00}}$, $y=\boxed{\phantom{00}}$

(2)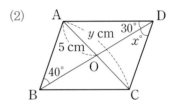

$x=\boxed{\phantom{00}}$, $y=\boxed{\phantom{00}}$

---

**05** 평행사변형 ABCD에서 두 대각선의 교점이 O일 때, $\angle x$의 크기를 구하시오.

(1)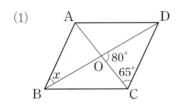

(2)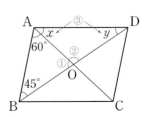

---

중학교 교과서

**06** 오른쪽 평행사변형 ABCD에서 점 O는 두 대각선의 교점이다. $\angle x+\angle y$의 값을 구하시오.

∠AOD의 크기를 구한 후 △AOD의 세 내각의 크기의 합은 180°임을 이용하여 $\angle x+\angle y$의 값을 구해.

① ∠AOB의 크기:

② ∠AOD의 크기:

③ $\angle x+\angle y$:

# 35 마름모의 각도 구하기

## 중등 35-1 마름모의 성질 (1)

초4학년: 여러 가지 사각형
중2학년: 여러 가지 사각형의 성질

초등쌤
마름모는 네 변의 길이가 모두 같은 사각형이야.

마름모에서

① 두 쌍의 대변이 각각 서로 평행하다. → 마름모를 평행사변형이라고 할 수 있다.

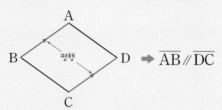

② 두 쌍의 대각의 크기는 각각 서로 같다.

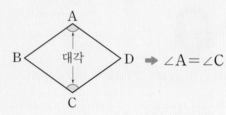
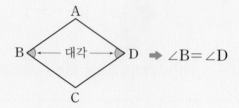

잠깐만!

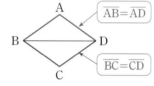
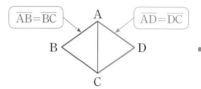
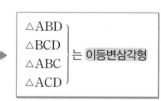

△ABD
△BCD    는 이등변삼각형
△ABC
△ACD

**01** 오른쪽 마름모 ABCD에서 옳은 것에는 ○표, 옳지 않은 것에는 ×표 하시오.

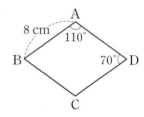

(1) $\overline{AD}=8\ cm$ (          )  (2) $\overline{AB} /\!/ \overline{DC}$ (          )

(3) ∠B=110° (          )  (4) ∠C=110° (          )

중학교 교과서

**02** 오른쪽 그림은 마름모일 때, ∠$x$, ∠$y$의 크기를 각각 구하시오.

∠$x$= ☐ , ∠$y$= ☐

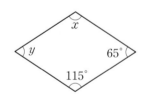

**03** 마름모 ABCD에서 ∠$x$의 크기를 구하시오.

마름모에서 대각선으로 나누어진 삼각형은 어떤 삼각형인지 알아봐.

(1)
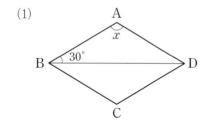

(2)
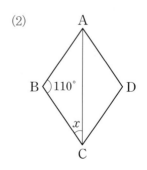

# 35-2 마름모의 성질 (2)

마름모에서 두 대각선은 서로 다른 것을 수직이등분한다.

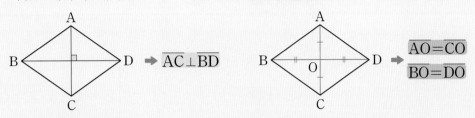

* 두 삼각형에서 세 쌍의 대응변의 길이가 각각 같을 때 SSS 합동이다.

**04** 마름모 ABCD에서 두 대각선의 교점이 O일 때, 다음을 각각 구하시오.

(1)
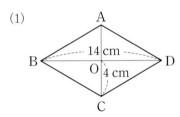

$\overline{BO}$의 길이:

$\overline{AC}$의 길이:

(2)
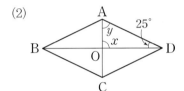

$\angle x$의 크기:

$\angle y$의 크기:

중학교 교과서

**05** 마름모 ABCD에서 두 대각선의 교점이 O일 때, $\angle x$, $\angle y$의 크기를 각각 구하시오.

(1)
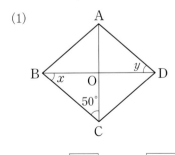

$\angle x =$ ☐ , $\angle y =$ ☐

(2)
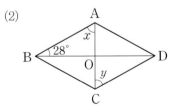

$\angle x =$ ☐ , $\angle y =$ ☐

**06** 오른쪽 마름모 ABCD에서 두 대각선의 교점이 O일 때, $\angle x - \angle y$의 값을 구하시오.

먼저 △ABD는 이 등변삼각형임을 이 용하여 ∠ADO의 크기를 구해!

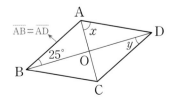

# 36 직사각형과 정사각형의 각도 구하기

#직사각형 #정사각형
#대각선 #수직이등분

## 36-1 직사각형과 정사각형의 성질

초 4학년: 여러 가지 사각형
중 2학년: 여러 가지 사각형의 성질

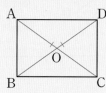

**초등쌤**
• 직사각형:
네 각의 크기가 모두
같은 사각형
• 정사각형:
네 변의 길이가 모두
같고 네 각의 크기가
모두 같은 사각형

(1) 직사각형의 성질: 두 대각선은 길이가 같고, 서로 다른 것을 이등분한다.

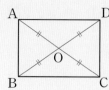

$$\Rightarrow \overline{AC} = \overline{BD}$$

$$\Rightarrow \overline{OA} = \overline{OC} = \overline{OB} = \overline{OD}$$

$\boxed{\overline{AC} = \overline{BD} \text{이므로}}$

(2) 정사각형의 성질

① 두 대각선은 길이가 서로 같다.

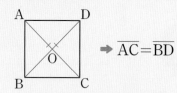

$$\Rightarrow \overline{AC} = \overline{BD}$$

정사각형은
직사각형의 성질을
모두 가지고 있어!

② 두 대각선은 서로 다른 것을 **수직이등분**한다.

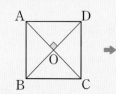

$$\Rightarrow \overline{AC} \perp \overline{BD}$$

$$\Rightarrow \overline{OA} = \overline{OC} = \overline{OB} = \overline{OD}$$

$\boxed{\overline{AC} = \overline{BD} \text{이므로}}$

**잠깐만!**

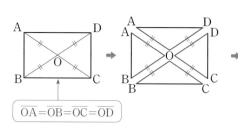

$\boxed{\overline{OA} = \overline{OB} = \overline{OC} = \overline{OD}}$

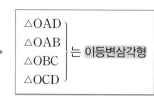

△OAD
△OAB      는 **이등변삼각형**
△OBC
△OCD

두 대각선으로
나누어진 삼각형은
모두 이등변삼각형
이야~.

**01** 다음 그림에서 사각형 ABCD는 직사각형이다. $x$, $y$의 값을 각각 구하시오. (단, 점 O는 두 대각선의 교점이다.)

(1)
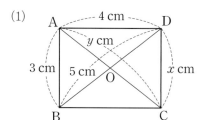

$x = \boxed{\phantom{x}}$

$y = \boxed{\phantom{x}}$

(2)
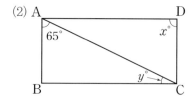

$x = \boxed{\phantom{x}}$

$y = \boxed{\phantom{x}}$

중학교 교과서

**02** 오른쪽 정사각형 ABCD에서 두 대각선의 교점이 O일 때, $x$, $y$의 값을 각각 구하시오.

$x = \boxed{\phantom{x}}$, $y = \boxed{\phantom{x}}$

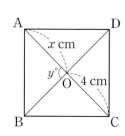

중학교 교과서

**03** 직사각형 ABCD에서 두 대각선의 교점이 O일 때, $\angle x$, $\angle y$의 크기를 각각 구하시오.

직사각형에서 두 대각선은 길이가 같고, 서로 다른 것을 이등분해.

(1)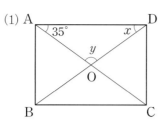

$\angle x = \boxed{\phantom{00}}$

$\angle y = 180° - (35° + \boxed{\phantom{00}}) = \boxed{\phantom{00}}$

(2)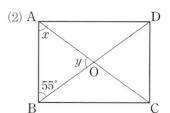

$\angle x = \boxed{\phantom{00}}$, $\angle y = \boxed{\phantom{00}}$

**04** 직사각형 ABCD에서 두 대각선의 교점이 O일 때, $\angle x$의 크기를 구하시오.

(1)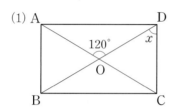

(2)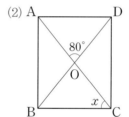

**05** 오른쪽 정사각형 ABCD에서 두 대각선의 교점이 O일 때, $\angle$OAB의 크기를 구하시오.

$\triangle$OAB는 어떤 삼각형인지 알아봐.

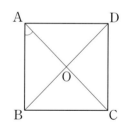

**06** 오른쪽 직사각형 ABCD에서 두 대각선의 교점이 O일 때, $\angle x + \angle y$의 값을 구하시오.

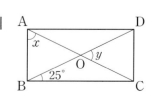

## 중등 37-1 등변사다리꼴의 성질 (1)

초 4학년: 여러 가지 사각형
중 2학년: 여러 가지 사각형의 성질

초등쌤
사다리꼴은 한 쌍의 변이 평행한 사각형이야.

(1) 등변사다리꼴: 아랫변의 양 끝 각의 크기가 서로 같은 사다리꼴

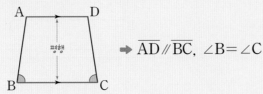

➡ $\overline{AD} /\!/ \overline{BC}$, $\angle B = \angle C$

等邊
〈같을 등, 가장자리 변〉
변의 길이가 같다는
뜻이야~.

(2) 등변사다리꼴에서 평행하지 않은 한 쌍의 대변의 길이는 서로 같다.

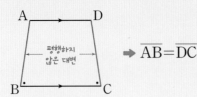

➡ $\overline{AB} = \overline{DC}$

잠깐만!

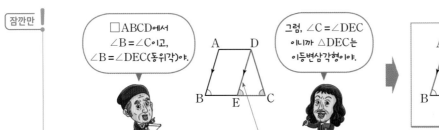

□ABCD에서
∠B=∠C이고,
∠B=∠DEC(동위각)야.

그럼, ∠C=∠DEC
이니까 △DEC는
이등변삼각형이야.

□ABED는 평행사변형
이므로 ①$\overline{DE}=\overline{AB}$
△DEC는 이등변삼각형
이므로 ②$\overline{DE}=\overline{DC}$
➡ $\overline{AB}=\overline{DC}$

점 D를 지나고 선분 AB에 평행한 선분 DE를 긋는다.

**01** 다음 그림은 $\overline{AD} /\!/ \overline{BC}$인 등변사다리꼴이다. $x$의 값을 구하시오.

(1)
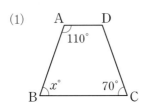

(2)
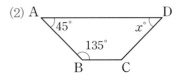

(3)
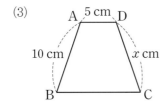

(4)
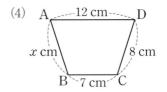

중학교 교과서

**02** 오른쪽 그림에서 사각형 ABCD는 $\overline{AD} /\!/ \overline{BC}$인 등변사다리꼴이다. 점 E는 $\overline{AD}$의 연장선 위의 점일 때 $\angle x$, $\angle y$, $\angle z$의 크기를 각각 구하시오.

$\angle x =$ ___, $\angle y =$ ___, $\angle z =$ ___

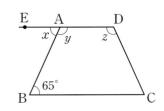

## 중등 37-2 등변사다리꼴의 성질 (2)

최 4학년: 여러 가지 사각형
중 2학년: 여러 가지 사각형의 성질

등변사다리꼴에서 두 대각선의 길이는 서로 같다.

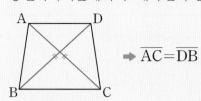

➡ $\overline{AC} = \overline{DB}$

두 대각선의 길이가 같은 사각형의 종류는?

음...... 직사각형, 정사각형, 등변사다리꼴!

잠깐만!

△ABC와 △DCB에서
∠ABC = ∠DCB,
$\overline{BC}$ (공통인 변).

그리고 $\overline{AB} = \overline{DC}$이니까
△ABC와 △DCB는
합동이야.(SAS 합동)

△ABC ≡ △DCB이므로
대응변의 길이가 같다.
$\overline{AC} = \overline{DB}$

\* 두 삼각형에서 두 쌍의 대응변의 길이가 각각 같고, 그 끼인각의 크기가 같을 때 **SAS** 합동이다.

**03** 다음 그림과 같이 $\overline{AD} /\!/ \overline{BC}$인 등변사다리꼴 ABCD에서 두 대각선의 교점이 O일 때, $x$의 값을 구하시오.

(1)
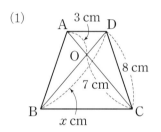

(2)
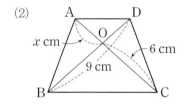

중학교 교과서

**04** $\overline{AD} /\!/ \overline{BC}$인 등변사다리꼴 ABCD에서 ∠$x$의 크기를 구하시오.

(1)
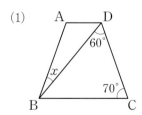

(2)
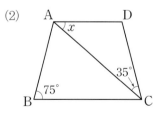

**05** 오른쪽 그림과 같이 $\overline{AD} /\!/ \overline{BC}$인 등변사다리꼴 ABCD에서 두 대각선의 교점이 O일 때, $\overline{OB}$의 길이를 구하시오.

∠OBC와 ∠OCB의 크기를 구해서 △OBC는 어떤 삼각형인지 알아봐.

① ∠OBC의 크기:

② ∠OCB의 크기:

③ $\overline{OB}$의 길이:

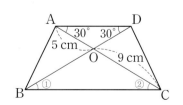

# 38 사각형과 삼각형의 성질을 이용하여 각도 구하기

#삼각형의 성질

## 38-1 사각형과 삼각형을 이어 붙인 모양에서 각도 구하기

⑧ 4학년: 여러 가지 사각형
⑧ 2학년: 여러 가지 사각형의 성질

**예** 그림에서 다음 조건을 만족할 때, ∠$x$의 크기 구하기

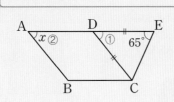

- □ABCD는 마름모
- 점 E는 $\overline{AD}$의 연장선 위의 점
- $\overline{DE} = \overline{DC}$

① △DCE는 이등변삼각형이므로
∠DCE = ∠DEC = 65°
➡ ∠EDC = 180° − (65° + 65°)
= 50°

$\overline{DE} = \overline{DC}$이므로
△DCE는 이등변삼각형
➡ 두 밑각의 크기가 같다.
∠DCE = ∠DEC

② $\overline{AB} /\!/ \overline{DC}$이므로
∠$x$ = ∠EDC = **50°** (동위각)

□ABCD는 마름모이므로
$\overline{AB} /\!/ \overline{DC}$
➡ ∠$x$ = ∠EDC(동위각)

---

**01** 다음 그림에서 □ABCD는 $\overline{AD} /\!/ \overline{BC}$인 등변사다리꼴이고, △DCE는 정삼각형이다. 점 E는 $\overline{AD}$의 연장선 위의 점일 때, ∠B의 크기를 구하는 과정이다. □ 안에 알맞은 것을 써넣으시오.

△DCE는 정삼각형이므로 ∠EDC = ☐

$\overline{AD} /\!/ \overline{BC}$이므로 ∠DCB = ∠EDC = ☐ (엇각)

등변사다리꼴에서 아랫변의 양 끝 각의 크기는 같으므로

∠B = ∠DCB = ☐

---

**02** 오른쪽 그림에서 □ABCD는 평행사변형이고, 점 E는 $\overline{BC}$의 연장선 위의 점이다. $\overline{CD} = \overline{CE}$일 때, ∠A의 크기를 구하시오.

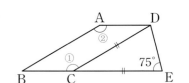

① ∠BCD의 크기:

② ∠A의 크기:

---

중학교 교과서

**03** 오른쪽 그림에서 □ABCD는 정사각형이고, $\overline{ED} = \overline{AD}$일 때, ∠EDA의 크기를 구하시오.

먼저 △ECD는 어떤 삼각형인지 구해.

① ∠DEC의 크기:

② ∠EDC의 크기:

③ ∠EDA의 크기:

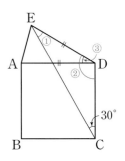

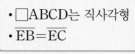 **38-2 사각형과 삼각형을 겹친 모양에서 각도 구하기**

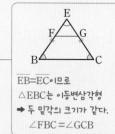

예 그림에서 다음 조건을 만족할 때, ∠$x$의 크기 구하기

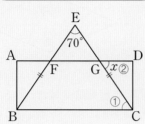

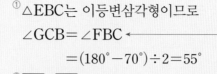

① △EBC는 이등변삼각형이므로

∠GCB = ∠FBC ←

= $(180° - 70°) ÷ 2 = 55°$

② $\overline{AD} /\!/ \overline{BC}$이므로

∠$x$ = ∠GCB = **55°**(엇각)

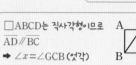

$\overline{EB} = \overline{EC}$이므로
△EBC는 이등변삼각형
➡ 두 밑각의 크기가 같다.
∠FBC = ∠GCB

□ABCD는 직사각형이므로
$\overline{AD} /\!/ \overline{BC}$
➡ ∠$x$ = ∠GCB (엇각)

---

**04** 다음 그림과 같은 정사각형 ABCD에서 $\overline{DB} = \overline{DE}$일 때, ∠DEC의 크기를 구하는 과정이다. □ 안에 알맞은 것을 써넣으시오.

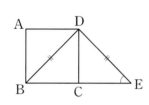

정사각형 ABCD에서 $\overline{BC} = \overline{DC}$이므로

△DBC는 ☐ 삼각형이다. ➡ ∠DBC = ☐

$\overline{DB} = \overline{DE}$이므로 △DBE는 ☐ 삼각형이다.

➡ ∠DEC = ∠DBC = ☐

---

**05** 오른쪽 그림에서 □ABCD는 $\overline{AD} /\!/ \overline{BC}$인 등변사다리꼴이다. $\overline{AC} = \overline{BC}$일 때, ∠ACD의 크기를 구하시오.

① ∠ABC의 크기:

② ∠DCB의 크기:

③ ∠ACD의 크기:

등변사다리꼴 ABCD에서
아랫변의 양 끝 각의 크기는
서로 같다.

---

중학교 교과서

**06** 오른쪽 그림과 같은 평행사변형 ABCD에서 점 E는 $\overline{DC}$의 연장선 위의 점이고, ∠BAF = ∠FAD일 때, ∠AED의 크기를 구하시오.

① ∠DAF의 크기:

② ∠D의 크기:

③ ∠AED의 크기:

평행사변형에서 이웃하는 두 각의 크기의 합은 180°임을 이용하여 ∠BAD의 크기를 구해.

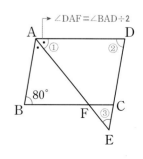

∠DAF = ∠BAD ÷ 2

[01~02] 다음 그림에서 ∠x의 크기를 구하시오.

## 01

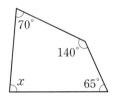

## 02

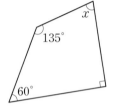

[03~04] 다음 그림에서 ∠x의 크기를 구하시오.

## 03

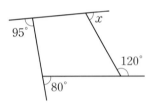

## 04

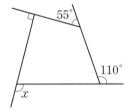

사각형의 네 외각의 크기의 합은 항상 360°야.

## 05 다음 그림은 평행사변형일 때, ∠x, ∠y의 크기를 각각 구하시오.

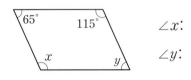

∠x:

∠y:

## 06 다음 그림은 마름모일 때, ∠x, ∠y의 크기를 각각 구하시오.

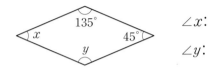

∠x:

∠y:

## 07 $\overline{AD} /\!/ \overline{BC}$인 등변사다리꼴에서 ∠B의 크기를 구하시오.

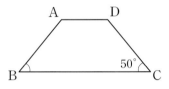

## 08 평행사변형 ABCD에서 ∠D의 크기를 구하시오.

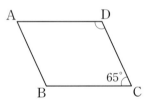

## 09 다음 그림에서 ∠A의 크기를 구하시오.

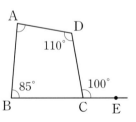

**10** 마름모 ABCD에서 ∠CAD의 크기를 구하시오.

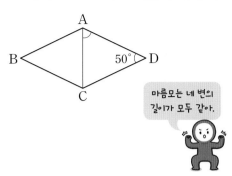

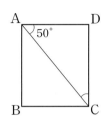

마름모는 네 변의
길이가 모두 같아.

**11** 오른쪽 직사각형 ABCD에서
∠ACD의 크기를 구하시오.

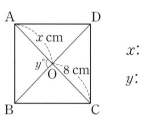

**12** 평행사변형 ABCD에서 두 대각선의 교점이 O일
때, $x$, $y$에 알맞은 값을 각각 구하시오.

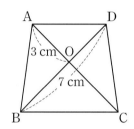

$x$:

$y$:

**13** 마름모 ABCD에서 두 대각선의 교점이 O일 때,
∠$x$, ∠$y$의 크기를 각각 구하시오.

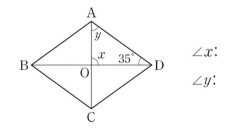

∠$x$:

∠$y$:

**14** 정사각형 ABCD에서 두 대각선의 교점이 O일
때, $x$, $y$의 값을 각각 구하시오.

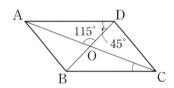

$x$:

$y$:

**15** $\overline{AD} /\!/ \overline{BC}$인 등변사다리꼴에서 두 대각선의 교점
이 O일 때, $\overline{OC}$의 길이를 구하시오.

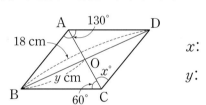

**16** 평행사변형 ABCD에서 두 대각선의 교점이 O일
때, ∠OCB의 크기를 구하시오.

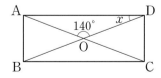

**17** 직사각형 ABCD에서 두 대각선의 교점이 O일
때, ∠$x$의 크기를 구하시오.

**18** 다음 그림에서 ∠C의 크기를 구하시오.

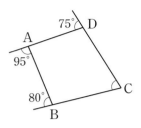

**19** $\overline{AD}$∥$\overline{BC}$인 등변사다리꼴 ABCD에서 ∠$x$의 크기를 구하시오.

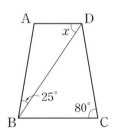

**20** 마름모 ABCD에서 두 대각선의 교점이 O일 때, ∠$x$의 크기를 구하시오.

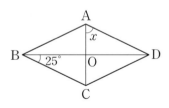

**21** 평행사변형 ABCD에서 두 대각선의 교점이 O일 때, ∠$x$+∠$y$의 값을 구하시오.

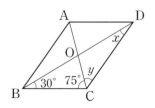

**22** 직사각형 ABCD에서 두 대각선의 교점이 O일 때, ∠$x$+∠$y$의 값을 구하시오.

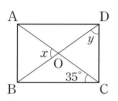

**23** 다음 그림에서 □ABCD는 평행사변형이고, 점 E는 $\overline{AD}$의 연장선 위의 점이다. $\overline{DC}$=$\overline{EC}$일 때, ∠ABC의 크기를 구하시오.

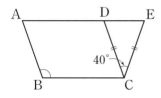

**24** 다음 그림에서 □ABCD는 직사각형이고, $\overline{EB}$=$\overline{EC}$일 때, ∠DGC의 크기를 구하시오.

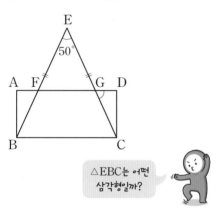

△EBC는 어떤 삼각형일까?

**25** $\overline{AD}$∥$\overline{BC}$인 등변사다리꼴 ABCD에서 $\overline{AC}$=$\overline{BC}$일 때, ∠ACD의 크기를 구하시오.

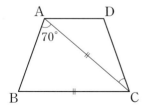

# 6단계

## 다각형과 원의 각도

개념 동영상 강의

# 40 다각형의 내각

## 중등 40-1 다각형의 내각의 크기의 합

초 4학년: 다각형
중 1학년: 다각형의 내각의 크기의 합

초등쌤

다각형은 선분으로만 둘러싸인 도형이야.
• 변이 ▲개인 다각형
➡ ▲각형

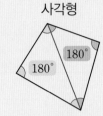
사각형

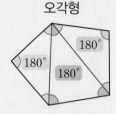
오각형

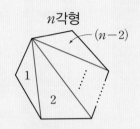
$n$각형

$180° \times 2 = 360°$
└ 4−2=2

$180° \times 3 = 540°$
└ 5−2=3

$180° \times (n-2)$
(꼭짓점의 수)−2

($n$각형의 **❶내각의 크기의 합**) = 180° × (나눌 수 있는 삼각형의 수)

= $180° \times (n-2)$

삼각형의 세 내각의 크기의 합 ←  → (꼭짓점의 수)−2

❶ 내각: 다각형에서 이웃하는 두 변으로 이루어진 내부의 각

잠깐만!

오각형의 내각의 크기의 합은 삼각형과 사각형으로 나누어 구할 수도 있어~.

삼각형 사각형 ➡ 180° + 360° ➡ (내각의 크기의 합) = 180° + 360° = 540°

**01** 다음 다각형의 내각의 크기의 합을 구하시오.

(1)
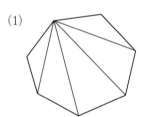

(칠각형의 내각의 크기의 합)

= 180° × (☐ − 2)

= ☐

(2)
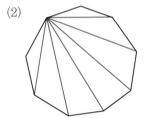

(구각형의 내각의 크기의 합)

= 180° × (☐ − 2)

= ☐

중학교 교과서

**02** 다음 다각형의 내각의 크기의 합을 구하시오.

(1) 팔각형

(2) 십이각형

**03** 내각의 크기의 합이 다음과 같은 다각형의 이름을 쓰시오.

(1) 720°

(2) 1440°

## 40-2 다각형의 한 내각의 크기 구하기

중등

예 ∠x의 크기 구하기

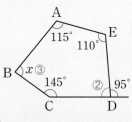

한 꼭짓점에서 내각과 외각의 크기의 합은 항상 180°야.

① (오각형의 내각의 크기의 합)
$$=180°×(5-2)=180°×\boxed{3}$$
$$=540°$$

② ∠CDE=180°-95°=85°

③ ➡ ∠x=540°-(115°+145°+85°+110°)
$$=540°-455°=\mathbf{85°}$$

(오각형) ➡ 삼각형 3개

(평각)=180°이므로
∠CDE=180°-95°
=85°

중학교 교과서

**04** 다음 그림에서 ∠x의 크기를 구하시오.

다각형에 대각선을 그어 삼각형으로 나누면 내각의 크기의 합을 구할 수 있어.

(1)
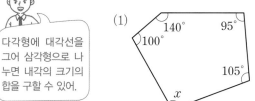

(2)
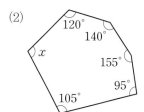

**05** 다음 그림에서 ∠x, ∠y의 크기를 각각 구하시오.

(1)
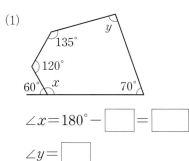

∠x=180°- □ = □

∠y= □

(2)
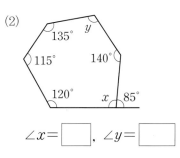

∠x= □ , ∠y= □

**06** 다음 그림에서 ∠x의 크기를 구하시오.

(1)
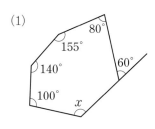

(2)
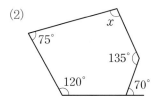

# 41 다각형의 외각

#다각형 #외각

## 중등 41-1 다각형의 외각의 크기의 합

초4학년: 다각형
중1학년: 다각형의 외각의 크기의 합

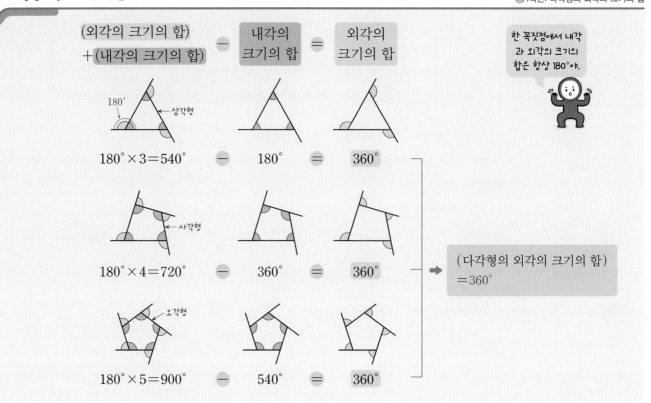

(외각의 크기의 합) + (내각의 크기의 합) − 내각의 크기의 합 = 외각의 크기의 합

한 꼭짓점에서 내각과 외각의 크기의 합은 항상 180°야.

삼각형
$180° \times 3 = 540°$  −  $180°$  =  $360°$

사각형
$180° \times 4 = 720°$  −  $360°$  =  $360°$

오각형
$180° \times 5 = 900°$  −  $540°$  =  $360°$

→ (다각형의 외각의 크기의 합) $= 360°$

**01** 다음 다각형의 외각의 크기의 합을 구하시오.

(1)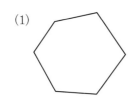

① (내각의 크기의 합) + (외각의 크기의 합)

  $= 180° \times \boxed{\phantom{0}} = \boxed{\phantom{000}}$

② (내각의 크기의 합) $= 180° \times \boxed{\phantom{0}} = \boxed{\phantom{000}}$

③ (외각의 크기의 합) = ① − ②

  $= \boxed{\phantom{000}} - \boxed{\phantom{000}} = \boxed{\phantom{000}}$

(2)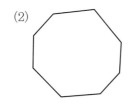

① (내각의 크기의 합) + (외각의 크기의 합)

  $= 180° \times \boxed{\phantom{0}} = \boxed{\phantom{000}}$

② (내각의 크기의 합) $= 180° \times \boxed{\phantom{0}} = \boxed{\phantom{000}}$

③ (외각의 크기의 합) = ① − ②

  $= \boxed{\phantom{000}} - \boxed{\phantom{000}} = \boxed{\phantom{000}}$

중학교 교과서

**02** 다음 다각형의 외각의 크기의 합을 구하시오.

(1) 구각형

(2) 십일각형

(3) 십오각형

(4) 이십각형

## 41-2 다각형의 한 외각의 크기 구하기

중등

중 1학년: 다각형의 외각의 크기의 합

**예** ∠x, ∠y의 크기 구하기

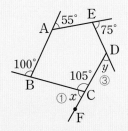

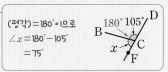

다각형의 외각의 크기의 합은 항상 360°야.

① $\angle x = 180° - 105° = \mathbf{75°}$

② 오각형의 외각의 크기의 합은 360°이므로

③ $\angle y = 360° - (55° + 100° + \underset{\angle x}{\underline{75°}} + 75°)$
$= 360° - 305° = \mathbf{55°}$

(평각)=180°이므로
$\angle x = 180° - 105°$
$= 75°$

중학교 교과서

**03** 다음 그림에서 ∠x의 크기를 구하시오.

(1)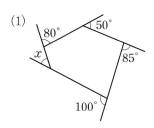

(2)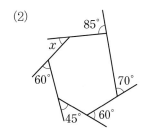

**04** 다음 그림에서 ∠x, ∠y의 크기를 각각 구하시오.

(1)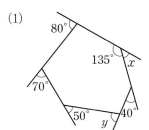

$\angle x = 180° - \boxed{\phantom{00}} = \boxed{\phantom{00}}$

$\angle y = \boxed{\phantom{00}}$

(2)

$\angle x = \boxed{\phantom{00}}$, $\angle y = \boxed{\phantom{00}}$

**05** 다음 그림에서 ∠x의 크기를 구하시오.

다각형에서 외각의 크기의 합은 항상 360°야.

(1)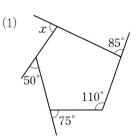

(2)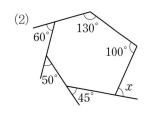

# 42 정다각형의 각도 구하기

## 중등 42-1 정다각형의 한 내각의 크기

초4학년: 다각형
중1학년: 다각형의 내각의 크기의 합

초등쌤

• 정▲각형
① 변과 꼭짓점이 각각 ▲개이다.
② 변의 길이가 모두 같다.
③ 각의 크기가 모두 같다.

$$(\text{정}n\text{각형의 한 내각의 크기}) = \frac{(\text{정}n\text{각형의 내각의 크기의 합})}{(\text{내각의 개수 } n)}$$
└→ (꼭짓점의 수)=(각의 수)

$$\Rightarrow \frac{180° \times (n-2)}{n}$$

정오각형의 내각의 크기는 모두 같아.

정오각형

예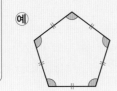

$$(\text{정오각형의 한 내각의 크기})$$
$$= \frac{180° \times (5-2)}{5} = \frac{540°}{5} = 108°$$

**01** 다음 정다각형의 한 내각의 크기를 구하시오.

(1)

① (내각의 크기의 합) $= 180° \times \boxed{\phantom{0}} = \boxed{\phantom{00}}$

② (한 내각의 크기) $= \dfrac{\boxed{\phantom{00}}}{\boxed{\phantom{0}}} = \boxed{\phantom{00}}$

(2)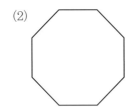

① (내각의 크기의 합) $= 180° \times \boxed{\phantom{0}} = \boxed{\phantom{00}}$

② (한 내각의 크기) $= \dfrac{\boxed{\phantom{00}}}{\boxed{\phantom{0}}} = \boxed{\phantom{00}}$

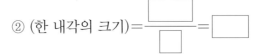

(3)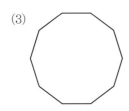

① (내각의 크기의 합) $= 180° \times \boxed{\phantom{0}} = \boxed{\phantom{00}}$

② (한 내각의 크기) $= \dfrac{\boxed{\phantom{00}}}{\boxed{\phantom{0}}} = \boxed{\phantom{00}}$

중학교 교과서

**02** 다음 정다각형의 한 내각의 크기를 구하시오.

(1) 정구각형

(2) 정십이각형

(3) 정십팔각형

(4) 정십오각형

## 42-2 정다각형의 한 외각의 크기

$$(\text{정}n\text{각형의 한 외각의 크기})=\frac{(\text{정}n\text{각형의 외각의 크기의 합})}{(\text{외각의 개수 }n)}$$

↳ (꼭짓점의 수)=(각의 수)

$$\Rightarrow \frac{360°}{n}$$

정오각형의 외각의 크기는 모두 같아.

(예)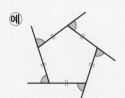

(정오각형의 한 외각의 크기)

$$=\frac{360°}{5}=72°$$

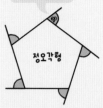
정오각형

---

**03** 다음 정다각형의 한 외각의 크기를 구하시오.

(1)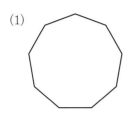

(한 외각의 크기)$=\dfrac{\boxed{\phantom{00}}}{\boxed{\phantom{00}}}=\boxed{\phantom{00}}$

(2)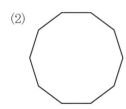

(한 외각의 크기)$=\dfrac{\boxed{\phantom{00}}}{\boxed{\phantom{00}}}=\boxed{\phantom{00}}$

---

**04** 한 외각의 크기가 다음과 같은 정다각형의 이름을 쓰시오.

(1) 24°

(2) 60°

(3) 30°

(4) 20°

---

중학교 교과서

**05** 내각과 외각의 크기의 총합이 1440°인 정다각형의 한 외각의 크기를 구하는 과정이다. □ 안에 알맞은 것을 써넣으시오.

한 꼭짓점에서 내각과 외각의 합이 180°임을 이용하여 어떤 정다각형인지 구할 수 있어!

외각 내각
180°

내각과 외각의 크기의 총합이 1440°인 정다각형을 정$n$각형이라 하면

$$(\text{내각과 외각의 크기의 총합})=\boxed{\phantom{00}}\times n=1440°$$

➡ $n=\boxed{\phantom{00}}$이므로 조건을 만족하는 정다각형은 $\boxed{\phantom{000}}$이다.

$$(\text{한 외각의 크기})=\frac{360°}{\boxed{\phantom{0}}}=\boxed{\phantom{00}}$$

# 43 원의 중심각 구하기 (1)

## 43-1 비례식의 성질
초등 | 초 6학년: 비례식

• 비례식의 성질: (외항의 곱)=(내항의 곱)

예 $5 : 4 =$ □ $: 8$에서 □ 구하기

$5 : \underline{4} = \boxed{} : 8$

➡ $\underline{5 \times 8} = \underline{4 \times \boxed{}}$, $4 \times \boxed{} = 40$, $\boxed{} = 10$

외항의 곱 ⮥    ⮤ 내항의 곱

비례식은 비율이 같은 두 비를 "="를 사용하여 나타낸 식이야.

**01** 다음 비례식에서 ■의 값을 구하시오.

(1)   ■ $: 5 = 20 : 10$

■ $\times \boxed{} = 5 \times \boxed{}$

■ $\times \boxed{} = 100$

■ $= \boxed{}$

(2)   $28 :$ ■ $= 7 : 3$

$28 \times \boxed{} =$ ■ $\times \boxed{}$

■ $\times \boxed{} = \boxed{}$

■ $= \boxed{}$

## 43-2 원과 부채꼴
중등 | 초 3학년: 원의 성질 | 중 1학년: 원과 부채꼴

초등쌤
원의 지름, 원의 중심, 원의 반지름

| 용어 | 기호 | 뜻 |
|---|---|---|
| 호 AB | $\overparen{AB}$ | 원 위의 두 점 A, B를 양 끝 점으로 하는 원의 일부분 |
| 부채꼴 AOB | | 원 O에서 두 반지름 OA, OB와 호 AB로 이루어진 도형 |
| 중심각 | ∠AOB | 부채꼴에서 두 반지름이 이루는 각 |

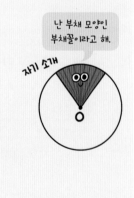
난 부채 모양인 부채꼴이라고 해.
자기소개

[중학교 교과서]

**02** 다음 그림에 알맞은 용어 또는 기호를 보기에서 골라 □ 안에 써넣으시오.

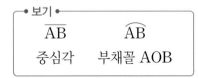
보기
$\overline{AB}$    $\overparen{AB}$
중심각    부채꼴 AOB

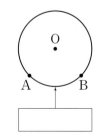
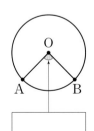
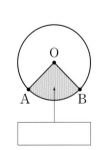

## 43-3 호의 길이와 중심각의 크기 관계

중등

중1학년: 원과 부채꼴

한 원에서

① 중심각의 크기가 같은 두 부채꼴의 호의 길이는 같다.

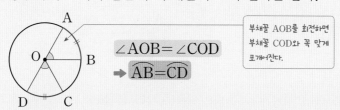

부채꼴 AOB를 회전하면 부채꼴 COD와 꼭 맞게 포개어진다.

$\angle AOB = \angle COD$

➡ $\overset{\frown}{AB} = \overset{\frown}{CD}$

② 부채꼴에서 중심각의 크기가 2배, 3배……가 되면 호의 길이도 2배, 3배……가 된다.

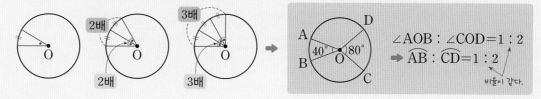

$\angle AOB : \angle COD = 1 : 2$

➡ $\overset{\frown}{AB} : \overset{\frown}{CD} = 1 : 2$

비율이 같다.

중학교 교과서

**03** 다음 그림의 원 O에서 $x$의 값을 구하시오.

(1)

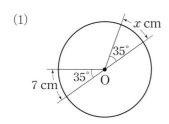

(2)

(3)

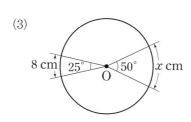

$25 : \boxed{\phantom{x}} = 8 : x$

➡ $x = \boxed{\phantom{x}}$

(4)

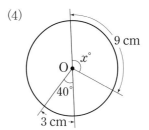

$40 : x = \boxed{\phantom{x}} : \boxed{\phantom{x}}$

➡ $x = \boxed{\phantom{x}}$

**04** 다음 그림의 원 O에서 $x$, $y$의 값을 각각 구하시오.

호의 길이와 중심각의 크기 관계를 이용하여 비례식을 세워.

(1)

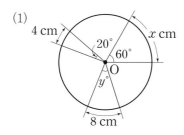

$x = \boxed{\phantom{x}}$, $y = \boxed{\phantom{x}}$

(2)

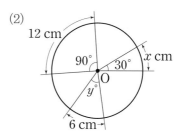

$x = \boxed{\phantom{x}}$, $y = \boxed{\phantom{x}}$

# 44 원의 중심각 구하기 (2)

### 중등 44-1 현의 길이와 중심각의 크기 관계

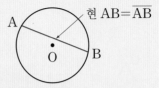

중1학년: 원과 부채꼴

(1) 현 AB: 원 위의 두 점 A, B를 이은 선분

기호 $\overline{AB}$

현 AB=$\overline{AB}$

(2) 한 원에서 ❶중심각의 크기가 같은 두 현의 길이는 같다.

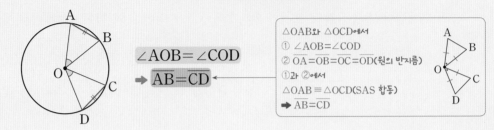

$\angle AOB = \angle COD$
$\Rightarrow \overline{AB} = \overline{CD}$

△OAB와 △OCD에서
① $\angle AOB = \angle COD$
② $\overline{OA} = \overline{OB} = \overline{OC} = \overline{OD}$(원의 반지름)
①과 ②에서
△OAB ≡ △OCD(SAS 합동)
➡ $\overline{AB} = \overline{CD}$

❶ 중심각: 부채꼴에서 두 반지름이 이루는 각

잠깐만!

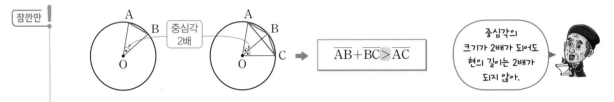

$\overline{AB} + \overline{BC} > \overline{AC}$

중심각의 크기가 2배가 되어도 현의 길이는 2배가 되지 않아.

중학교 교과서

**01** 다음 그림의 원 O에서 $x$의 값을 구하시오.

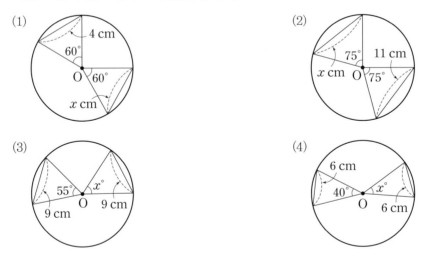

(1) 4 cm, 60°, 60°, $x$ cm

(2) 75°, 11 cm, $x$ cm, 75°

(3) 55°, $x°$, 9 cm, 9 cm

(4) 6 cm, 40°, $x°$, 6 cm

**02** 오른쪽 그림에서 $\overline{AB} = \overline{BC} = \overline{CD} = \overline{EF}$일 때, $\angle x$의 크기를 구하시오.

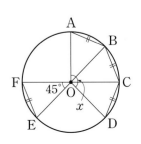

## 44-2 중심각의 크기를 이용하여 호의 길이 구하기

중등

중 1학년: 원과 부채꼴

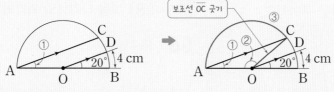

예 $\overline{AC} /\!/ \overline{OD}$일 때, $\overset{\frown}{AC}$의 길이 구하기

보조선 $\overline{OC}$ 그어 $\overset{\frown}{AC}$의 중심각의 크기를 구해.

① $\overline{AC} /\!/ \overline{OD}$이므로

$\angle CAO = \angle DOB = 20°$(동위각)

$\overline{OA} = \overline{OC}$(원의 반지름)
➡ △AOC는 이등변삼각형
$\angle ACO = \angle CAO = 20°$

② △AOC는 이등변삼각형이므로

$\angle AOC = 180° - (20° + 20°) = 140°$

③ $\overset{\frown}{AC} : \overset{\frown}{DB} = \overset{\frown}{AC} : 4 = 140 : 20$

↳ $\overset{\frown}{AC}$의 중심각   ↳ $\overset{\frown}{DB}$의 중심각

➡ $\overset{\frown}{AC} = 28\ cm$

$\overset{\frown}{AC} : 4 = 140 : 20$
➡ $\overset{\frown}{AC} \times 20 = 4 \times 140$,
$\overset{\frown}{AC} \times 20 = 560$, $\overset{\frown}{AC} = 28\ cm$

---

**03** 다음 그림의 반원 O에서 $\overline{AC} /\!/ \overline{OD}$이다. $\angle DOB = 15°$, $\overset{\frown}{DB} = 2\ cm$일 때, $\overset{\frown}{AC}$의 길이를 구하는 과정이다. □ 안에 알맞은 것을 써넣으시오.

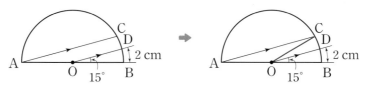

$\overline{AC} /\!/ \overline{OD}$이므로 $\angle CAO = \angle DOB = \boxed{\phantom{00}}$(동위각)

$\overline{OC}$를 그으면 △AOC는 이등변삼각형이므로

$\angle ACO = \angle CAO = \boxed{\phantom{00}}$,

$\angle AOC = 180° - (\boxed{\phantom{0}} + \boxed{\phantom{0}}) = \boxed{\phantom{00}}$

$\overset{\frown}{AC} : \overset{\frown}{DB} = \overset{\frown}{AC} : 2 = \boxed{\phantom{00}} : 15$ ➡ $\overset{\frown}{AC} = \boxed{\phantom{00}}$

---

중학교 교과서

**04** 오른쪽 그림의 반원 O에서 $\overline{AC} /\!/ \overline{OD}$이다. $\angle DOB = 25°$, $\overset{\frown}{DB} = 5\ cm$일 때, $\overset{\frown}{AC}$의 길이를 구하시오.

먼저 $\overline{OC}$를 그은 후 $\overset{\frown}{AC}$의 중심각의 크기를 구해.

① $\overset{\frown}{AC}$의 중심각의 크기:

② $\overset{\frown}{AC}$의 길이:

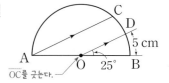

$\overline{OC}$를 긋는다.

---

**05** 오른쪽 그림의 원 O에서 $\angle CAO = 40°$, $\overset{\frown}{CB} = 4\ cm$일 때, $\overset{\frown}{AC}$의 길이를 구하시오.

① $\angle AOC$의 크기:

② $\angle COB$의 크기:

③ $\overset{\frown}{AC}$의 길이:

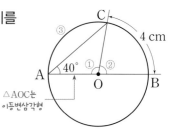

△AOC는 이등변삼각형

**01** 다음 팔각형의 내각의 크기의 합을 구하시오.

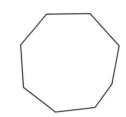

(팔각형의 내각의 크기의 합)

$=180° × ( \boxed{\phantom{0}} -2 )$

$= \boxed{\phantom{000}}$

**02** 다음 오각형의 외각의 크기의 합을 구하시오.

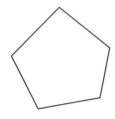

① (내각의 크기의 합)+(외각의 크기의 합)

$=180° × \boxed{\phantom{0}} = \boxed{\phantom{00}}$

② (내각의 크기의 합)$=180° × \boxed{\phantom{0}} = \boxed{\phantom{00}}$

③ (외각의 크기의 합)

$=①-②$

$= \boxed{\phantom{00}} - \boxed{\phantom{00}} = \boxed{\phantom{00}}$

**[03~05]** 다음 다각형의 내각의 크기의 합을 구하시오.

**03** 구각형

**04** 십각형

**05** 십육각형

**[06~08]** 다음 다각형의 외각의 크기의 합을 구하시오.

**06** 칠각형

**07** 십이각형

**08** 십팔각형

**09** 다음 그림 중 $\overset{\frown}{AB}$를 나타낸 것을 찾아 기호를 쓰시오.

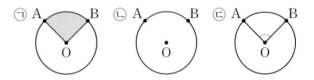

**10** 다음 정육각형의 한 내각의 크기를 구하시오.

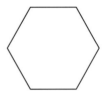

① (내각의 크기의 합)$=180° × \boxed{\phantom{0}} = \boxed{\phantom{00}}$

② (한 내각의 크기)$= \dfrac{\boxed{\phantom{00}}}{6} = \boxed{\phantom{00}}$

다각형을 삼각형 몇 개로 나눌 수 있는지 생각해 봐.

**[11~12]** 다음 정다각형의 한 내각의 크기를 구하시오.

**11** 정팔각형

**12** 정이십각형

**13** 다음 그림은 어떤 정다각형의 일부이다. 이 정다각형의 한 외각의 크기가 36°일 때, 도형의 이름을 쓰시오.

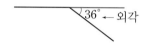

**[14~15]** 한 외각의 크기가 다음과 같은 정다각형의 이름을 쓰시오.

**14** 45°

**15** 120°

**16** 다음 그림에서 ∠x의 크기를 구하시오.

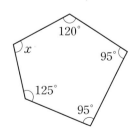

**[17~18]** 다음 그림의 원 O에서 x의 값을 구하시오.

**17**

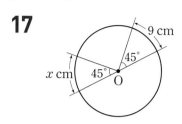

**18**

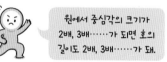

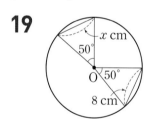

원에서 중심각의 크기가 2배, 3배……가 되면 호의 길이도 2배, 3배……가 돼.

**[19~20]** 다음 그림의 원 O에서 x의 값을 구하시오.

**19**

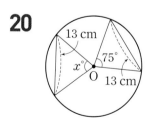

**20**

[21~22] 다음 그림에서 ∠$x$의 크기를 구하시오.

**21**

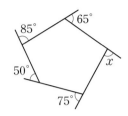

**22**

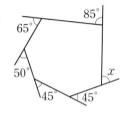

**23** 다음 그림에서 ∠$x$+∠$y$의 값을 구하시오.

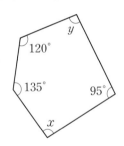

[24~25] 내각의 크기의 합이 다음과 같은 다각형의 이름을 쓰시오.

**24** 900°

**25** 1260°

**26** 다음 그림의 원 O에서 $x$, $y$의 값을 각각 구하시오.

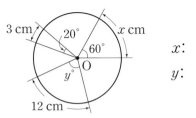

$x$:

$y$:

**27** 다음 그림에서 ∠$x$의 크기를 구하시오.

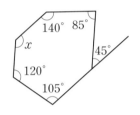

**28** 다음 그림에서 ∠$x$의 크기를 구하시오.

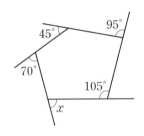

**29** 내각과 외각의 크기의 총합이 1620°인 정다각형의 한 외각의 크기를 구하시오.

**30** 다음 그림의 반원 O에서 $\overline{AC} /\!/ \overline{OD}$이다. ∠DOB=30°, $\overarc{DB}$=4 cm일 때, $\overarc{AC}$의 길이를 구하시오.

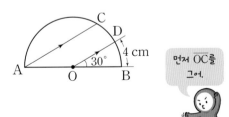

먼저 OC를 그어.

# 7 단계

## 성취도 확인 평가

**01** 다음 도형을 기호로 나타내시오.

**02** 다음 삼각형에서 변 AB와 변 BC로 이루어진 내각을 찾아 표시하시오.

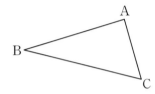

**03** 다음 그림에서 $\angle x$의 크기를 구하시오.

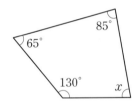

**04** 다음 그림에서 $\angle x$, $\angle y$의 크기를 각각 구하시오.

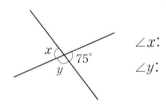

$\angle x$:

$\angle y$:

**05** 서로 다른 세 직선 $l$, $m$, $n$에 대하여 $l \perp m$, $l /\!/ n$ 일 때, 직선 $m$과 직선 $n$의 관계를 $\perp$ 또는 $/\!/$로 나타내시오. (단, 세 직선 $l$, $m$, $n$은 한 평면 위에 있다.)

**06** 다음 그림은 $\angle XOY$와 크기가 같고 $\overrightarrow{PQ}$를 한 변으로 하는 각을 작도하는 과정이다. 작도 순서를 바르게 나열하시오.

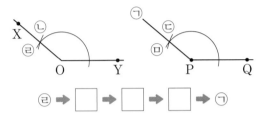

ㄹ ➡ ☐ ➡ ☐ ➡ ☐ ➡ ㄱ

**07** 다음 그림은 이등변삼각형일 때, $\angle x$의 크기를 구하시오.

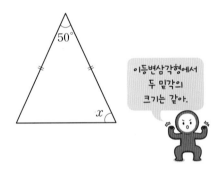

이등변삼각형에서 두 밑각의 크기는 같아.

**08** 다음 그림은 평행사변형일 때, $\angle x$, $\angle y$의 크기를 각각 구하시오.

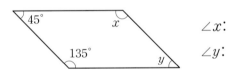

$\angle x$:

$\angle y$:

**09** 다음 팔각형의 내각의 크기의 합을 구하시오.

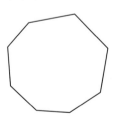

**10** 칠각형의 외각의 크기의 합을 구하시오.

**11** 다음 그림은 두 변의 길이와 그 끼인각의 크기가 주어질 때, △ABC를 작도한 것이다. 작도 순서에 맞게 □ 안에 알맞은 것을 써넣으시오.

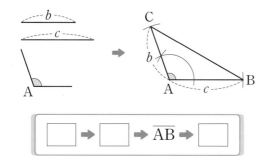

□ ➡ □ ➡ $\overline{AB}$ ➡ □

**12** 다음 그림에서 $l /\!/ m$일 때, ∠$x$의 크기를 구하시오.

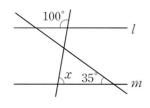

**13** 다음 그림에서 △ACD는 정삼각형일 때, ∠$x$의 크기를 구하시오.

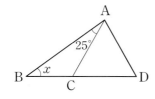

**14** 다음 그림에서 $l /\!/ m$일 때, ∠$x$, ∠$y$의 크기를 각각 구하시오.

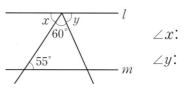

∠$x$:

∠$y$:

**15** 다음 그림에서 점 O가 △ABC의 외심일 때, $x$, $y$에 알맞은 값을 각각 구하시오.

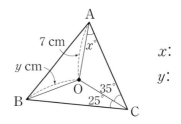

$x$:

$y$:

**16** 다음 그림과 같은 마름모 ABCD에서 ∠CBD의 크기를 구하시오.

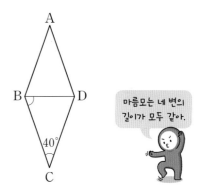

마름모는 네 변의 길이가 모두 같아.

**17** 다음 그림의 원 O에서 $x$의 값을 구하시오.

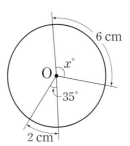

**18** 다음 그림에서 ∠$x$+∠$y$의 값을 구하시오.

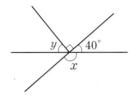

**19** 다음 그림에서 □ABCD≡□EFGH일 때, ∠D 의 크기를 구하시오.

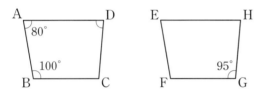

**20** 다음 그림과 같은 평행사변형 ABCD에서 두 대 각선의 교점이 O일 때, ∠$x$의 크기를 구하시오.

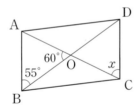

**21** 다음 그림에서 ∠$x$의 크기를 구하시오.

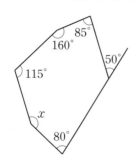

**22** 다음 그림에서 $l \parallel m$일 때, ∠$x$의 크기를 구하시오.

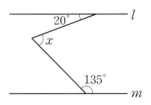

**23** 다음 그림과 같이 직사각형 모양의 종이를 접었을 때, $x$의 값을 구하시오.

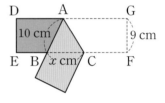

**24** 다음 그림과 같이 $\overline{AD} \parallel \overline{BC}$인 등변사다리꼴 ABCD 에서 $\overline{BD}=\overline{BC}$일 때, ∠ABD의 크기를 구하시오.

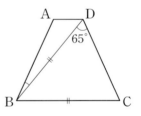

**25** 다음 그림에서 점 I가 △ABC의 내심일 때, ∠$x$의 크기를 구하시오.

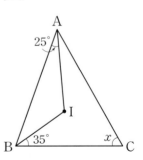

**01** 다음 도형에서 교점의 개수를 구하시오.

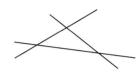

**02** 그림을 보고 다음을 각각 구하시오.

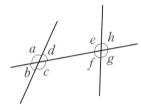

∠$a$의 동위각:          ∠$d$의 엇각:

**03** 오른쪽 그림의 △ABC 에서 ∠B의 대변의 길 이를 구하시오.

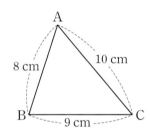

**04** $\overline{BF}$와 $\overline{HD}$의 관계를 ⊥ 또는 ∥를 사용하여 나타 내시오.

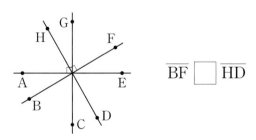

$\overline{BF}$ ☐ $\overline{HD}$

**05** 다음 그림에서 ∠$x$의 크기를 구하시오.

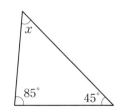

**06** 직선 $l$과 직선 $m$이 서로 평행한 것을 찾아 기호를 쓰시오.

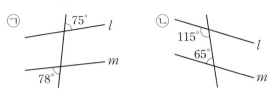

**07** 다음 그림의 두 삼각형은 서로 합동이다. 기호 ≡ 를 사용하여 나타내고, 합동 조건을 말하시오.

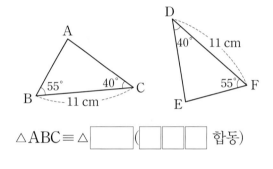

△ABC≡△☐☐☐ (☐☐☐ 합동)

**08** 다음 그림에서 ∠$x$의 크기를 구하시오.

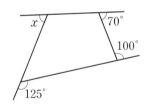

**09** 다음 그림에서 △ABC는 직각삼각형이다. ∠$x$의 크기를 구하시오.

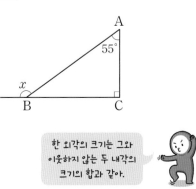

한 외각의 크기는 그와 이웃하지 않는 두 내각의 크기의 합과 같아.

**10** 다음 그림은 $\overline{AD} /\!/ \overline{BC}$인 등변사다리꼴일 때, ∠B 의 크기를 구하시오.

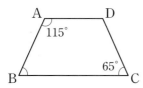

**11** 다음 그림과 같은 직사각형 ABCD에서 ∠$x$의 크기를 구하시오.

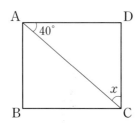

**12** 다음 그림과 같은 정사각형 ABCD에서 두 대각선의 교점이 O일 때, $x$, $y$의 값을 각각 구하시오.

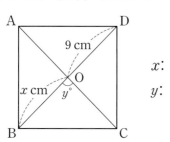

$x$:

$y$:

**13** 구각형의 내각의 크기의 합을 구하시오.

**14** 다음 그림에서 △ABC는 이등변삼각형일 때, ∠$x$의 크기를 구하시오.

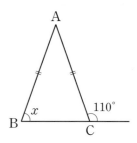

**15** 다음 그림에서 $\overline{AB} \perp \overline{CD}$일 때, ∠FOD의 크기를 구하시오.

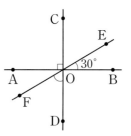

**16** 한 외각의 크기가 30°인 정다각형의 이름을 쓰시오.

**17** 다음 그림에서 $\overline{OA}$와 $\overline{OB}$는 원 O의 반지름일 때, ∠$x$의 크기를 구하시오.

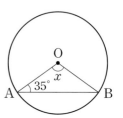

구각형은 삼각형 몇 개로 나누어질까?

**18** 다음 그림에서 ∠$a$의 동위각과 ∠$b$의 엇각의 크기의 차를 구하시오.

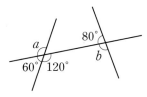

**19** 다음 정오각형의 한 내각의 크기를 구하시오.

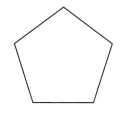

**20** 다음 그림에서 점 O가 △ABC의 외심일 때, ∠$x$의 크기를 구하시오.

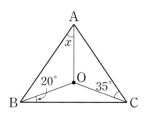

**21** 다음 그림의 원 O에서 $x$, $y$의 값을 각각 구하시오.

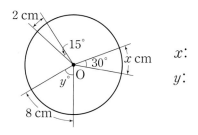

$x$:

$y$:

**22** 다음 그림에서 △ABC∽△DEF일 때, $\overline{AB}$의 길이를 구하시오.

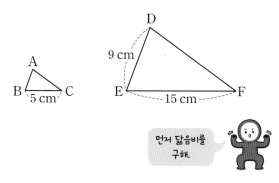

먼저 닮음비를 구해.

**23** 다음 그림과 같이 직사각형 모양의 종이를 접었을 때, ∠$x$의 크기를 구하시오.

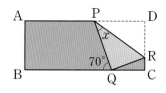

**24** 다음 그림에서 □ABCD는 직사각형이고, $\overline{EB}=\overline{EC}$일 때, ∠ABF의 크기를 구하시오.

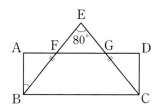

**25** 다음 그림에서 ∠$x$의 크기를 구하시오.

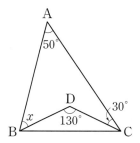

**01** 다음 그림과 같이 직선 위에 네 점 A, B, C, D가 있다. $\overrightarrow{BC}$와 같은 것을 찾아 기호를 쓰시오.

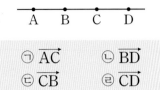

⊙ $\overrightarrow{AC}$   ⓒ $\overrightarrow{BD}$
ⓒ $\overrightarrow{CB}$   ② $\overrightarrow{CD}$

**02** 오른쪽 그림과 같은 직사각형에서 $\overline{AB}$와 평행한 변을 찾아 쓰시오.

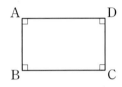

**03** 다음 삼각형에서 ∠B의 외각을 찾아 표시하고, 그 각의 크기를 구하시오.

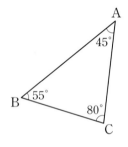

**04** 세 변의 길이가 다음과 같을 때, 삼각형이 될 수 있는지 구하시오.

9 cm, 12 cm, 15 cm

**05** 다음 그림에서 ∠$x$의 크기를 구하시오.

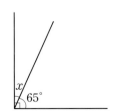

**06** 다음 그림에서 ∠$x$의 크기를 구하시오.

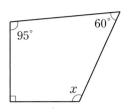

**07** 다음 그림은 평행사변형일 때, ∠$x$, ∠$y$의 크기를 각각 구하시오.

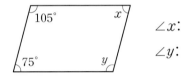

∠$x$:

∠$y$:

**08** 다음 오각형의 외각의 크기의 합을 구하시오.

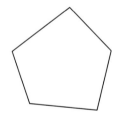

**09** 다음 그림에서 □ABCD∽□EFGH일 때, 닮음비를 가장 간단한 자연수의 비로 나타내시오.

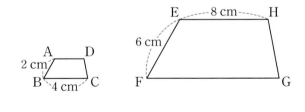

닮음비
➡ 대응변의 길이의 비

**10** 다음 그림에서 $l /\!/ m$, $n /\!/ p$일 때, ∠a, ∠b의 크기를 각각 구하시오.

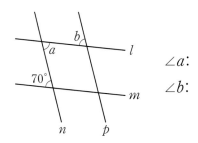

∠a :

∠b :

**11** 다음 그림에서 $\overline{AB} \perp \overline{CD}$일 때, ∠EOB의 크기를 구하시오.

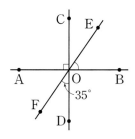

**12** 다음 그림과 같은 평행사변형 ABCD에서 두 대각선의 교점이 O일 때, $x$, $y$에 알맞은 값을 각각 구하시오.

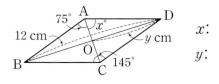

$x$ :

$y$ :

**13** 다음 그림의 원 O에서 $x$의 값을 구하시오.

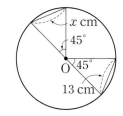

**14** 다음 그림에서 △ABC≡△DEF일 때, 옳은 것의 기호를 쓰시오.

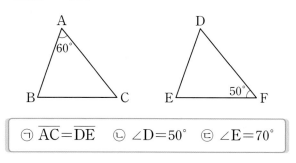

㉠ $\overline{AC} = \overline{DE}$　　㉡ ∠D=50°　　㉢ ∠E=70°

**15** 다음 그림에서 ∠$x$의 크기를 구하시오.

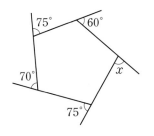

**16** 다음 그림에서 ∠CED의 크기를 구하시오.

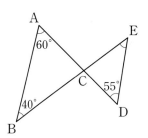

**17** 다음 그림과 같은 직사각형 ABCD에서 두 대각선의 교점이 O일 때, ∠$x$의 크기를 구하시오.

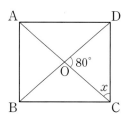

△DOC는 어떤
삼각형일까?

**18** 다음 그림과 같이 $\overline{AB}=\overline{AC}$인 이등변삼각형 ABC 에서 ∠A의 이등분선과 $\overline{BC}$의 교점을 D라고 할 때, ∠$x$, ∠$y$의 크기를 각각 구하시오.

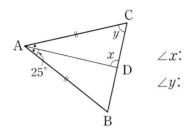

∠$x$:

∠$y$:

**19** 다음 그림에서 ∠$x$의 크기를 구하시오.

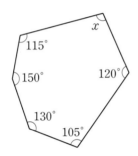

**20** 다음 그림에서 $l /\!/ m$일 때, ∠$x$의 크기를 구하시오.

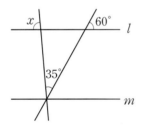

**21** 다음 그림에서 $l /\!/ m$일 때, ∠$x$의 크기를 구하시오.

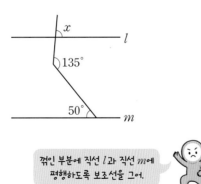

꺾인 부분에 직선 $l$과 직선 $m$에 평행하도록 보조선을 그어.

**22** 다음 그림에서 ∠AOD=145°일 때, ∠BOC의 크기를 구하시오.

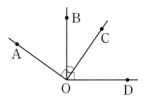

**23** 다음 그림과 같은 평행사변형 ABCD에서 점 O는 두 대각선의 교점일 때, ∠$x$+∠$y$의 값을 구하시오.

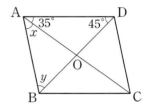

**24** 다음 그림과 같이 직사각형 모양의 종이를 접었을 때, ∠$x$의 크기를 구하시오.

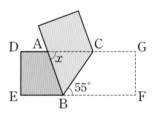

**25** 다음 그림에서 ∠$x$의 크기를 구하시오.

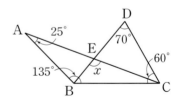

**01** 다음 그림에서 ∠b를 점 A, B, C를 사용하여 나타내시오.

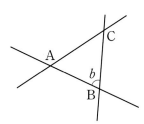

**02** 다음 그림에서 l∥m일 때, ∠x의 크기를 구하시오.

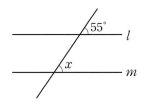

**03** 다음 그림의 사각형 ABCD에서 ∠D의 크기를 구하시오.

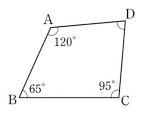

**04** 다음 그림은 $\overline{AB}$와 길이가 같은 $\overline{PQ}$를 작도한 것이다. 작도 순서를 바르게 나열하시오.

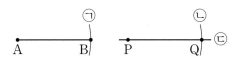

**05** 다음 그림에서 ∠x의 크기를 구하시오.

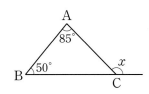

**[06~07]** 다음 그림에서 ∠x의 크기를 구하시오.

**06**

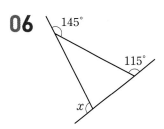

**07**

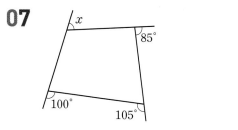

다각형의 외각의 크기의 합은 항상 360°야.

**08** 다음 칠각형의 내각의 크기의 합을 구하시오.

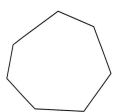

**09** 다음 중 항상 둔각인 것을 고르면?

① (예각)＋(예각)　　② (예각)＋(둔각)

③ (직각)＋(예각)　　④ (직각)＋(둔각)

⑤ (둔각)＋(둔각)

**10** 다음 그림에서 $l /\!/ m$일 때, $\angle x$, $\angle y$의 크기를 각각 구하시오.

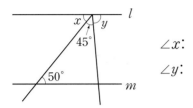

$\angle x$:

$\angle y$:

**11** 다음 그림은 세 변의 길이가 주어질 때, △ABC를 작도한 것이다. 작도 순서에 맞게 □ 안에 알맞은 것을 써넣으시오.

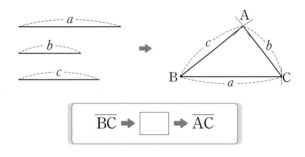

$$\overline{BC} \Rightarrow \boxed{\phantom{aa}} \Rightarrow \overline{AC}$$

**12** 마름모 ABCD에서 두 대각선의 교점이 O일 때, $\angle x$, $\angle y$의 크기를 각각 구하시오.

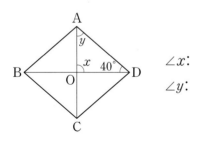

$\angle x$:

$\angle y$:

**13** 다음 그림에서 두 직각삼각형이 서로 합동임을 기호 ≡를 사용하여 나타내고, 합동 조건을 말하시오.

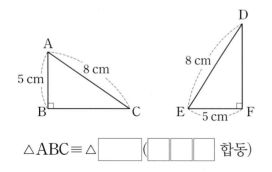

$$\triangle ABC \equiv \triangle \boxed{\phantom{aa}} (\boxed{\phantom{a}}\boxed{\phantom{a}}\boxed{\phantom{a}} \text{ 합동})$$

**14** 다음 그림과 같이 $\overline{AD} /\!/ \overline{BC}$인 등변사다리꼴 ABCD에서 두 대각선의 교점이 O일 때, $\overline{AO}$의 길이를 구하시오.

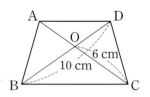

**15** 다음 그림에서 $l /\!/ m$이고, 직선 $l$과 직선 $m$에 평행하도록 보조선을 그었을 때, $\angle a$, $\angle b$, $\angle x$의 크기를 각각 구하시오.

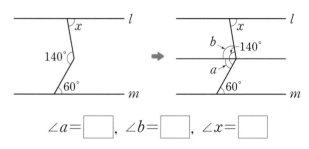

$\angle a = \boxed{\phantom{aa}}$, $\angle b = \boxed{\phantom{aa}}$, $\angle x = \boxed{\phantom{aa}}$

**16** 다음 그림은 어떤 정다각형의 일부이다. 이 정다각형의 한 외각의 크기가 60°일 때, 정다각형의 이름을 쓰시오.

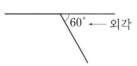

**17** 다음 그림에서 점 I가 △ABC의 내심일 때, $\angle x$의 크기를 구하시오.

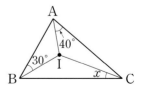

**18** 다음 그림에서 ∠$x$의 크기를 구하시오.

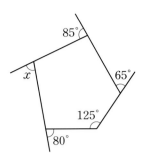

**19** 다음 그림에서 ∠$x$, ∠$y$의 크기를 각각 구하시오.

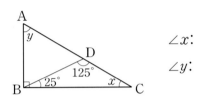

∠$x$:

∠$y$:

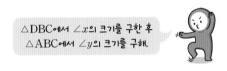

△DBC에서 ∠$x$의 크기를 구한 후
△ABC에서 ∠$y$의 크기를 구해.

**20** 정구각형의 한 내각의 크기를 구하시오.

**21** 다음 그림과 같이 $\overline{AB}=\overline{AC}$인 이등변삼각형 ABC
에서 $\overline{AD}\perp\overline{BC}$일 때, ∠$x$의 크기를 구하시오.

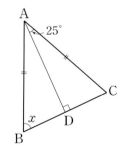

**22** 다음 그림과 같은 직사각형 ABCD에서 두 대각
선의 교점이 O일 때, ∠$x$의 크기를 구하시오.

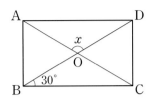

**23** 다음 그림에서 $l /\!/ m$일 때, ∠$x$의 크기를 구하시오.

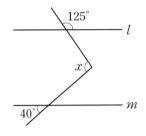

**24** 다음 그림에서 점 O가 △ABC의 외심일 때, ∠$x$
의 크기를 구하시오.

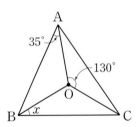

**25** 다음 그림에서 ∠ACE＝∠ECD일 때, ∠$x$의 크
기를 구하시오.

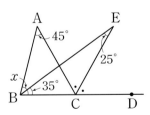

# MEMO

# 초고필

초등 고학년 필수

지금
# 도형의 각도
를 해야 할 때

# 정답 및 풀이

동아출판

# 초고필

지금
## 도형의 각도
를 해야 할 때

**1단계** 각의 개념과 성질 · 풀이 06~08쪽

**006쪽** **01** (1) ◯ (2) ◯ (3) × (4) ◯
**02** (1) 1개 (2) 2개
(3) 없다. (4) 8개
**03** ㉣, ㉠, ㉢, ㉡
**04** (1) $\overleftrightarrow{PQ}(=\overleftrightarrow{QP})$ (2) $\overrightarrow{QP}$
(3) $\overline{PQ}$ (4) $\overline{PQ}(=\overline{QP})$
**05** (1) $\overrightarrow{AC}$ (2) $\overrightarrow{CB}$ (3) $\overrightarrow{CB}$, $\overrightarrow{CA}$
(4) $\overline{CB}$
**06** 6개

**008쪽** **01** ㉢
**02** (1) ∠ABC, ∠CBA
/ ∠ACB, ∠BCA
(2) ∠CAD, ∠DAC
/ ∠CBD, ∠DBC
**03** (1) 105° (2) 115°
**04** (1) 직각 (2) 둔각 (3) 예각
(4) 직각 (5) 예각 (6) 평각
**05** (1) 45°, 20°, 70°
(2) 135°, 150°
**06** ②

**010쪽** **01** (1) 125° (2) 60°
(3) 133° (4) 57°
**02** 90°, 90°, 45°, 45°, 30°, 75°
**03** 145°
**04** (1) 60° (2) 63° (3) 92° (4) 48°
**05** 180°, 60°, 120°, 120°, 40°
**06** 50°

**012쪽** **01** (1) ∠AOB, ∠BOC, ∠DOC,
∠AOD
(2) ∠DOC / ∠FOD
**02** (1) 30°/ 150° (2) 40°/ 50°
**03** (1) 45°/ 45°, 135° (2) 115°/ 65°
**04** (1) 75°/ 50° (2) 45°/ 110°
(3) 115°/ 20° (4) 35°/ 80°
**05** 70°

**014쪽** **01** (1) $\overleftrightarrow{RS}$ (2) $\overleftrightarrow{PQ}\perp\overleftrightarrow{RS}$
**02** (1) × (2) ◯ (3) ◯ (4) ◯
**03** $\overline{AD}$, $\overline{BC}$
**04** (1) 40°/ 50° (2) 55°/ 35°
**05** (1) 55° (2) 30°

**06** 60°
**016쪽** **01** 4개
**02** $\overleftrightarrow{AB}(=\overleftrightarrow{BA})$
**03** $\overrightarrow{BA}$
**04** ㉡, ㉣
**05** ∠BAD(= ∠DAB),
∠ABC(= ∠CBA),
∠BCD(= ∠DCB)
**06** 15°
**07** 예각, 둔각, 직각
**08** 60°, 15°
**09** 120°, 155°
**10** ㉢
**11** 63°
**12** 37°
**13** ∠AOB
**14** 40°
**15** $\overleftrightarrow{AE}\perp\overleftrightarrow{CG}$
**16** $\overleftrightarrow{BF}$
**17** 108°/ 72°
**18** 25°/ 92°
**19** 55°
**20** 61°
**21** 136°
**22** 40°
**23** 40°
**24** 210°
**25** 40°

**2단계** 선에서 생기는 각도 · 풀이 08~12쪽

**020쪽** **01** ㉢
**02** (1) ⊥ (2) // (3) ⊥ (4) //
**03** (1) $\overline{AB}$, $\overline{DC}$ (2) $\overline{AD}$, $\overline{BC}$
(3) $\overline{BC}$
**04** 2쌍
**05** (1) // (2) //
**06** 예

 $n$    / $m\perp n$
$m$
$l$

**07** (1) × (2) ◯
**022쪽** **01** (1) ∠$e$ (2) ∠$d$
(3) ∠$g$ (4) ∠$b$
**02** (1) 35° (2) 145°
(3) 70° (4) 110°

**03** ∠$f$, ∠$q$
**04** 140°
**05** (1) ∠$h$ (2) ∠$f$
**06** ④
**07** ∠$c$, ∠$g$
**08** ㉡, ㉣

**024쪽** **01** (1) 21°
(2) 145° / 145° / 35°
**02** (1) 55° / 55° / 55°
(2) 110° / 110° / 110°
**03** 직선 $n$
**04** (1) 65° / 65°, 50°, 65°
(2) 105° / 40°
**05** (1) 75° (2) 65°
**06** 65°

**026쪽** **01** (1) 45°
(2) 60° / 60° / 120°
**02** (1) 55° / 55° / 55°
(2) 120° / 120° / 120°
**03** ㉠
**04** (1) 55° / 75°, 55°, 50°
(2) 40° / 60°
**05** (1) 55° (2) 65°
**06** 145°

**028쪽** **01** 30°, 120°, 60°, 90°
**02** (1) 80° (2) 75° (3) 110°
(4) 75°
**03** 100°
**04** 60°, 70°, 70°
**05** (1) 80° (2) 95° (3) 65° (4) 55°
**06** 155°

**030쪽** **01** QPR, 32°, 32°, 64°, APR, 64°
**02** 38°
**03** ① 74° ② 90° ③ 16°
**04** DPR, 70°, DPR, 70°, 70°, 70°,
40°
**05** 34°
**06** 64°

**032쪽** **01** $\overline{BC}$
**02** //
**03** ∠$f$ / ∠$c$
**04** ③, ⑤

**05** 65°
**06** 115°
**07** ㉡
**08** 110° / 110° / 110°
**09** 130°
**10** 25°
**11** 45° / 85°
**12** 40° / 75°
**13** 55° / 70°
**14** 75°
**15** 55° / 70° / 55°
**16** 255°
**17** 104°
**18** 65°
**19** 45°
**20** 85°
**21** 55°
**22** 95°
**23** 59°
**24** 40°
**25** 80°

**3단계** 작도/합동/닮음　풀이 12~15쪽

036쪽
**01** ㉡, ㉠, ㉢
**02** P———————Q
**03** ㉢, ㉠, ㉡
**04** (1) ㉣, ㉢, ㉤, ㉡
　　(2) $\overline{OQ}$, $\overline{AR}$
　　(3) $\overline{RS}$
　　(4) ∠RAS
**05**

038쪽
**01** (1) $\overline{PR}$　(2) $\overline{PQ}$
　　(3) ∠R　(4) ∠Q
**02** (1) ○　(2) ×　(3) ○
　　(4) ×　(5) ×　(6) ○
**03** ① $\overline{BC}$　② $c$, $b$　③ $\overline{AC}$
**04** $\overline{AB}$

040쪽
**01** ㉢, ㉠, ㉡
**02** ∠A, $\overline{AB}$

**03** ① $a$　② ∠B, ∠C　③ $\overrightarrow{CY}$
**04** $\overline{BC}$, ∠C

042쪽
**01** (1) 4 cm　(2) 8 cm
　　(3) 60°　(4) 90°
**02** (1) 11 cm　(2) 10 cm
　　(3) 80°　(4) 65°
**03** 50°
**04** $\overline{DE}$, $\overline{EF}$, $\overline{AC}$, SSS
**05** $\overline{CB}$, $\overline{CD}$, $\overline{BD}$, SSS
**06** ㉡

044쪽
**01** $\overline{DF}$, $\overline{EF}$, ∠F, SAS
**02** $\overline{DF}$
**03** COD, SAS
**04** ∠A, $\overline{AB}$, ∠E, ASA
**05** $\overline{DF}$
**06** (1) MON, ASA
　　(2) PRQ, SSS
　　(3) KJL, SAS

046쪽
**01** (1) ∠F, $\overline{DE}$, ∠E, RHA
　　(2) 2 cm
**02** KJL, RHA
**03** (1) 90°, $\overline{AB}$, $\overline{EF}$, RHS
　　(2) 60°
**04** (1) NMO, RHA
　　(2) RPQ, RHS

048쪽
**01** (1) 6, 9 / 3　(2) 4 / 28 / 4
　　(3) 3, 4 / 5　(4) 9 / 2 / 9
**02** ∽
**03** ④
**04** (1) 2, 3, 2, 3
　　(2) 2, 3, 2, 3, 6
　　(3) A, 80°
**05** 85 / 10

050쪽
**01** ㉡
**02** ㉡, ㉢, ㉠
**03** ③
**04** 4 cm
**05** ×
**06** ○
**07** FDE, SAS
**08** KLJ, ASA
**09** QRP, SSS
**10** $\overline{AC}$, $\overline{BC}$

**11** EFD, RHS
**12** ㉢
**13** ⑤
**14** 1 : 2
**15** 80°
**16** ㉡
**17** ③
**18** $\overline{CA} = \overline{FD}$
**19** 12 cm
**20** 110°
**21** ㉡, ㉣
**22** 9 cm
**23** ABC, HIG, ASA
**24** ABC, CDA, SSS
**25** ABD, CDB, ASA

**4단계** 삼각형의 각도　풀이 15~20쪽

054쪽
**01**

**02** (1) 70°　(2) 105°
　　(3) 120°　(4) 40°
**03** (1) 145°　(2) 85°
　　(3) 130°　(4) 155°
**04** (1) 60° / 75°
　　(2) 75° / 45°
　　(3) 85°
　　(4) 45°
**05** ① 40°　② 25°　③ 115°

056쪽
**01** 예）　　　　　　　　/ 60°

**02** (1) 115°　(2) 140°
　　(3) 105°
**03** (1) 35°, 85°　(2) 85°, 45°, 130°
　　(3) 110°　(4) 155°
**04** (1) 50°　(2) 65°
**05** (1) 75° / 130°　(2) 60° / 110°
**06** ① 30°　② 60°　③ 105°

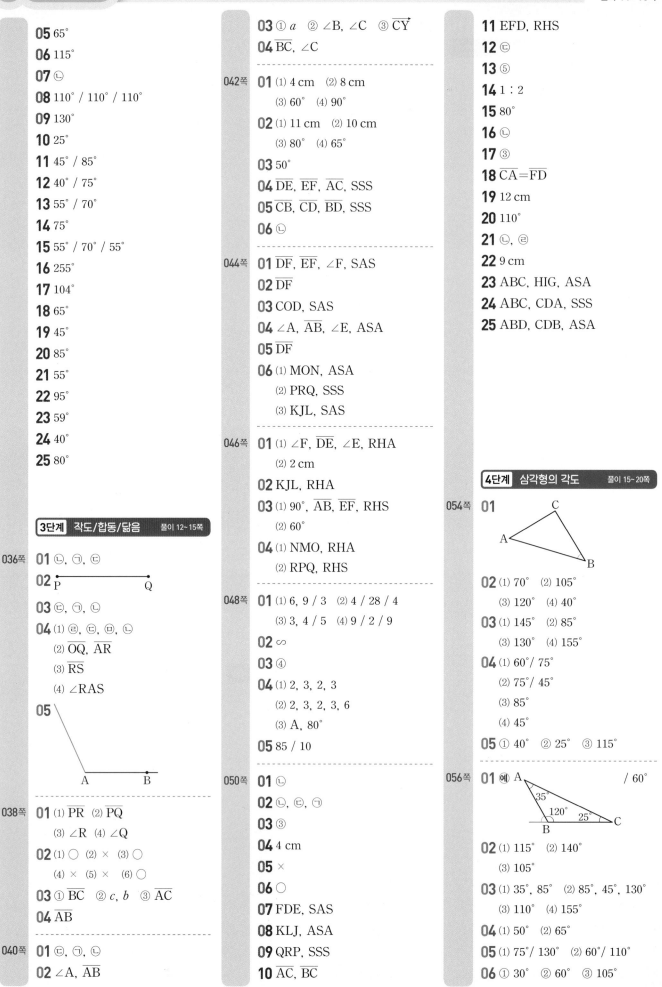

**058쪽**
**01** (1) 130° (2) 125°
**02** (1) 35°, 145°/ 115°
　　(2) 115°/ 125°
**03** (1) 85° (2) 145°
**04** (1) 120° (2) 120° (3) 120°
**05** (1) 25° (2) 20°
**06** ① 60° ② 30° ③ 55°

**060쪽**
**01** (1) 40° (2) 45°
　　(3) 57° (4) 28°
**02** (1) 90°, 125° (2) 150°
　　(3) 119° (4) 133°
**03** (1) 25°/ 65° (2) 35°/ 55°
**04** (1) 25° (2) 60°
**05** ① 25° ② 50° ③ 40°

**062쪽**
**01** (1) 70° (2) 120° (3) 40°
　　(4) 70°
**02** (1) 65°/ 50° (2) 35°/ 110°
**03** (1) 35°/ 35°, 70°
　　(2) 55°/ 125°
**04** (1) 65° (2) 80°
**05** ① 35° ② 70° ③ 70°

**064쪽**
**01** ㉢
**02** (1) 90°/ 90°, 50° (2) 90°/ 35°
**03** (1) 25° (2) 75°
**04** DAC, BAC, BAC, 이등변, 7 cm
**05** ① 55° ② 55° ③ 70°
**06** (1) 13 (2) 110

**066쪽**
**01** 이등변삼각형
**02** ㉡, ㉢
**03** 45°
**04** (1) 40°/ 40°, 100°
　　(2) 50°/ 80°
　　(3) 38°/ 104°
　　(4) 67°/ 46°
**05** (1) 70° (2) 130°
　　(3) 20° (4) 30°
**06** ① 80° ② 50° ③ 130°

**068쪽**
**01** 80°, 15°, 80°, 15°, 20°
**02** 15°
**03** (1) 130° (2) 120°
**04** 60°, 100°, 100°, 50°, 50°, 35°

**05** ① 40° ② 80° ③ 35°
**06** ① 50° ② 105° ③ 55°

**070쪽**
**01** ②, ④
**02** 15 / 5
**03** 20°/ 140°
**04** (1) 25° (2) 40°
**05** (1) 40°/ 100°
　　(2) 15°/ 150°
**06** (1) 30° (2) 35°

**072쪽**
**01** (1) × (2) ○ (3) ○ (4) ×
**02** (1) 15° (2) 23°
**03** (1) 40° (2) 25°
**04** (1) 30°/ 130°
　　(2) 30°/ 115°
**05** (1) 50° (2) 70°

**074쪽**
**01**

**02** 예

/ 145°

**03** 50°
**04** 85°
**05** 135°
**06** 65°
**07** 130°
**08** 55°
**09** 45°
**10** 55°
**11** 40°
**12** 35°/ 55°
**13** 90°/ 20°
**14** 55°/ 35°
**15** 100°
**16** 20 / 9
**17** 30°
**18** 7
**19** 80
**20** 40°
**21** 20°
**22** 80°

**23** 70°
**24** 35°
**25** 60°

**5단계 사각형의 각도** 풀이 21~24쪽

**078쪽**
**01** (1) 60° (2) 80°
**02** (1) 170° (2) 145°
**03** 85°
**04** (1) 105° (2) 65°
**05** (1) 165° (2) 175°
**06** 75°

**080쪽**
**01** ㉡
**02** (1) 110° / 70° (2) 125° / 55°
**03** (1) 115° (2) 55°
**04** (1) 35 / 7 (2) 40 / 10
**05** (1) 35° (2) 23°
**06** ① 75° ② 105° ③ 75°

**082쪽**
**01** (1) ○ (2) ○ (3) × (4) ○
**02** 115° / 65°
**03** (1) 120° (2) 35°
**04** (1) 7 cm / 8 cm (2) 90° / 65°
**05** (1) 40° / 40° (2) 62° / 62°
**06** 40°

**084쪽**
**01** (1) 3 / 5 (2) 90 / 25
**02** 4 / 90
**03** (1) 35° / 35°, 110° (2) 55° / 70°
**04** (1) 60° (2) 50°
**05** 45°
**06** 115°

**086쪽**
**01** (1) 70 (2) 45 (3) 10 (4) 8
**02** 65° / 115° / 115°
**03** (1) 10 (2) 3
**04** (1) 20° (2) 40°
**05** ① 30° ② 30° ③ 9 cm

**088쪽**
**01** 60°, 60°, 60°
**02** ① 150° ② 150°
**03** ① 30° ② 120° ③ 30°
**04** 이등변, 45°, 이등변, 45°
**05** ① 65° ② 65° ③ 15°
**06** ① 50° ② 80° ③ 50°

090쪽
**01** 85°
**02** 75°
**03** 65°
**04** 105°
**05** 115° / 65°
**06** 45° / 135°
**07** 50°
**08** 115°
**09** 85°
**10** 65°
**11** 40°
**12** 70 / 9
**13** 90° / 55°
**14** 8 / 90
**15** 4 cm
**16** 20°
**17** 20°
**18** 70°
**19** 55°
**20** 65°
**21** 75°
**22** 125°
**23** 110°
**24** 65°
**25** 30°

**6단계** 다각형과 원의 각도 풀이 25~28쪽

094쪽
**01** (1) 7, 900° (2) 9, 1260°
**02** (1) 1080° (2) 1800°
**03** (1) 육각형 (2) 십각형
**04** (1) 100° (2) 105°
**05** (1) 60°, 120° / 95°
 (2) 95° / 115°
**06** (1) 125° (2) 100°

096쪽
**01** (1) ① 6, 1080° ② 4, 720°
 ③ 1080°, 720°, 360°
 (2) ① 8, 1440° ② 6, 1080°
 ③ 1440°, 1080°, 360°
**02** (1) 360° (2) 360°
 (3) 360° (4) 360°
**03** (1) 45° (2) 40°
**04** (1) 135°, 45° / 75°
 (2) 80° / 50°

**05** (1) 80° (2) 75°

098쪽
**01** (1) ① 4, 720° ② 720°, 6, 120°
 (2) ① 6, 1080°
 ② 1080°, 8, 135°
 (3) ① 8, 1440°
 ② 1440°, 10, 144°
**02** (1) 140° (2) 150°
 (3) 160° (4) 156°
**03** (1) 360°, 9, 40°
 (2) 360°, 10, 36°
**04** (1) 정십오각형 (2) 정육각형
 (3) 정십이각형 (4) 정십팔각형
**05** 180°, 8, 정팔각형, 8, 45°

100쪽
**01** (1) 10, 20, 10, 10
 (2) 3, 7, 7, 84, 12
**02** $\widehat{AB}$, 중심각, 부채꼴 AOB
**03** (1) 7 (2) 70 (3) 50, 16
 (4) 3, 9, 120
**04** (1) 12 / 40 (2) 4 / 45

102쪽
**01** (1) 4 (2) 11 (3) 55 (4) 40
**02** 135°
**03** 15°, 15°, 15°, 15°, 150°, 150,
 20 cm
**04** ① 130° ② 26 cm
**05** ① 100° ② 80° ③ 5 cm

104쪽
**01** 8, 1080°
**02** ① 5, 900° ② 3, 540°
 ③ 900°, 540°, 360°
**03** 1260°
**04** 1440°
**05** 2520°
**06** 360°
**07** 360°
**08** 360°
**09** ㉡
**10** ① 4, 720° ② 720°, 120°
**11** 135°
**12** 162°
**13** 정십각형
**14** 정팔각형
**15** 정삼각형
**16** 105°
**17** 9
**18** 110

**19** 8
**20** 75
**21** 85°
**22** 70°
**23** 190°
**24** 칠각형
**25** 구각형
**26** 9 / 80
**27** 135°
**28** 75°
**29** 40°
**30** 16 cm

**7단계** 성취도 확인 평가 풀이 29~32쪽

108쪽
**01** $\overline{AB}(=\overline{BA})$
**02**

**03** 80°
**04** 75° / 105°
**05** ⊥
**06** ㉤, ㉡, ㉢
**07** 65°
**08** 135° / 45°
**09** 1080°
**10** 360°
**11** ∠A, $\overline{AC}$, $\overline{BC}$
**12** 80°
**13** 35°
**14** 55° / 65°
**15** 35 / 7
**16** 70°
**17** 105
**18** 190°
**19** 85°
**20** 65°
**21** 150°
**22** 65°
**23** 10
**24** 15°
**25** 60°

**111쪽**

**01** 3개

**02** ∠*e* / ∠*f*

**03** 10 cm

**04** ⊥

**05** 50°

**06** ㉡

**07** EFD, ASA

**08** 65°

**09** 145°

**10** 65°

**11** 50°

**12** 9 / 90

**13** 1260°

**14** 70°

**15** 60°

**16** 정십이각형

**17** 110°

**18** 20°

**19** 108°

**20** 35°

**21** 4 / 60

**22** 3 cm

**23** 35°

**24** 40°

**25** 50°

**114쪽**

**01** ㉡

**02** $\overline{DC}$

**03** 예

A / 125°
45°
55° 80°
B C

**04** 삼각형이 될 수 있다.

**05** 25°

**06** 115°

**07** 75° / 105°

**08** 360°

**09** 1 : 3

**10** 70° / 70°

**11** 55°

**12** 70 / 6

**13** 13

**14** ㉢

**15** 80°

**16** 45°

**17** 50°

**18** 90° / 65°

**19** 100°

**20** 85°

**21** 85°

**22** 35°

**23** 100°

**24** 70°

**25** 110°

**117쪽**

**01** ∠ABC(=∠CBA)

**02** 55°

**03** 80°

**04** ㉢, ㉠, ㉡

**05** 135°

**06** 100°

**07** 70°

**08** 900°

**09** ③

**10** 50° / 85°

**11** $\overline{AB}$

**12** 90° / 50°

**13** EFD, RHS

**14** 4 cm

**15** 60° / 80° / 80°

**16** 정육각형

**17** 20°

**18** 75°

**19** 30° / 60°

**20** 140°

**21** 65°

**22** 120°

**23** 95°

**24** 30°

**25** 75°

# 정답 및 풀이

## 1단계 각의 개념과 성질 · 005~018쪽

### 01 교점 / 선 · 006~007쪽

**01** (1) ○ (2) ○ (3) × (4) ○
**02** (1) 1개 (2) 2개 (3) 없다. (4) 8개
**03** ㉣, ㉠, ㉢, ㉡
**04** (1) $\overleftrightarrow{PQ}(=\overleftrightarrow{QP})$ (2) $\overrightarrow{QP}$ (3) $\overrightarrow{PQ}$ (4) $\overline{PQ}(=\overline{QP})$
**05** (1) $\overrightarrow{AC}$ (2) $\overrightarrow{CB}$ (3) $\overrightarrow{CB}, \overrightarrow{CA}$ (4) $\overline{CB}$
**06** 6개

---

**01** (3) 선은 수없이 많은 점으로 이루어져 있다.

**03** ㉠ 6개 ㉡ 없다. ㉢ 4개 ㉣ 10개 ➡ ㉣, ㉠, ㉢, ㉡

**04** (1) 점 P와 점 Q를 지나는 직선이다.
➡ (직선 PQ)$=\overleftrightarrow{PQ}=\overleftrightarrow{QP}$
(2) 점 Q에서 시작하여 점 P를 지나는 반직선이다.
➡ (반직선 QP)$=\overrightarrow{QP}$
(3) 점 P에서 시작하여 점 Q를 지나는 반직선이다.
➡ (반직선 PQ)$=\overrightarrow{PQ}$
(4) 점 P와 점 Q를 이은 선분이다.
➡ (선분 PQ)$=\overline{PQ}=\overline{QP}$

**05** (1) $\overset{\bullet\ \bullet\ \boxed{\bullet}}{A\ B\ C}$ ➡ $\overrightarrow{AB}$와 $\overrightarrow{AC}$는 시작점과 방향이 같다.
(2) $\overset{\bullet\ \boxed{\bullet}\ \bullet}{A\ B\ C}$ ➡ $\overrightarrow{CA}$와 $\overrightarrow{CB}$는 시작점과 방향이 같다.
(3) $\overset{\bullet\ \bullet\ \bullet}{A\ B\ C}$ ➡ $\overrightarrow{AB}=\overrightarrow{CB}=\overrightarrow{CA}$
(4) $\overset{\bullet\ \bullet\ \bullet}{A\ B\ C}$ ➡ $\overline{BC}=\overline{CB}$

**06**

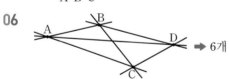

➡ 6개

### 02 각 · 008~009쪽

**01** ㉢
**02** (1) ∠ABC, ∠CBA / ∠ACB, ∠BCA
  (2) ∠CAD, ∠DAC / ∠CBD, ∠DBC
**03** (1) 105° (2) 115°
**04** (1) 직각 (2) 둔각 (3) 예각 (4) 직각 (5) 예각
  (6) 평각
**05** (1) 45°, 20°, 70° (2) 135°, 150°
**06** ②

---

**01** ㉢ 주어진 각을 ∠AOB, ∠BOA, ∠O로 나타낼 수 있다.

**02** (1) ∠$a$: ∠BAC 또는 ∠CAB로 나타낼 수 있다. ← 각의 꼭짓점
  ∠$b$: ∠ABC 또는 ∠CBA로 나타낼 수 있다.
  ∠$c$: ∠ACB 또는 ∠BCA로 나타낼 수 있다.
(2) ∠$a$: ∠CAD 또는 ∠DAC로 나타낼 수 있다.
  ∠$b$: ∠CBD 또는 ∠DBC로 나타낼 수 있다.

**04** (1) 90°이므로 직각이다.
(2) 90°보다 크고 180°보다 작으므로 둔각이다.
(3) 0°보다 크고 90°보다 작으므로 예각이다.
(4) 90°이므로 직각이다.
(5) 0°보다 크고 90°보다 작으므로 예각이다.
(6) 180°이므로 평각이다.

> **잠깐만** · (평각)$=180°$ · (직각)$=90°$
> · $0°<$(예각)$<90°$ · $90°<$(둔각)$<180°$

**05** (1) 0°보다 크고 90°보다 작은 각을 찾으면 45°, 20°, 70°이다.
(2) 90°보다 크고 180°보다 작은 각을 찾으면 135°, 150°이다.

**06** ② 직각은 90°이고, 예각은 0°보다 크고 90°보다 작으므로
  (직각)+(예각)은 90°보다 크고 180°보다 작다.
  ➡ (직각)+(예각)은 항상 둔각이다.

### 03 직각, 평각이 있는 각도 계산 · 010~011쪽

**01** (1) 125° (2) 60° (3) 133° (4) 57°
**02** 90°, 90°, 45°, 45°, 30°, 75°
**03** 145°
**04** (1) 60° (2) 63° (3) 92° (4) 48°
**05** 180°, 60°, 120°, 120°, 40°
**06** 50°

---

**01** (1) ∠$x$=90°+35°=125°
(2) ∠$x$=90°−30°=60°
(3) ∠$x$=43°+90°=133°
(4) ∠$x$=147°−90°=57°

**02** ∠AOC=90°이고, ∠AOB=∠BOC이므로
∠BOC=90°÷2=45°
➡ ∠BOD=∠BOC+∠COD
    =45°+30°=75°

**03** ∠AOB=∠AOC−∠BOC
    =90°−35°=55°
∠AOD=∠AOB+∠BOD
    =55°+90°=145°

**04** (1) ∠$x$=180°−120°=60°
(2) ∠$x$=180°−42°−75°=63°
(3) ∠$x$=180°−25°−63°=92°
(4) 42°+∠$x$=90°
  ➡ ∠$x$=90°−42°=48°

**06** 도형의 각도

**05** $\angle \text{BOE} = \angle \text{AOE} - \angle \text{AOB}$
$= 180° - 60° = 120°$
➡ $\angle \text{BOC} = \angle \text{COD} = \angle \text{DOE}$이므로
$\angle \text{COD} = 120° \div 3 = 40°$

**06** $\angle \text{AOB} = \angle \text{AOD} - \angle \text{BOD}$
$= 180° - 115° = 65°$
➡ $\angle \text{BOC} = \angle \text{AOC} - \angle \text{AOB}$
$= 115° - 65° = 50°$

---

**04** 직선이 만날 때 생기는 각   012~013쪽

**01** (1) $\angle \text{AOB}, \angle \text{BOC}, \angle \text{DOC}, \angle \text{AOD}$
(2) $\angle \text{DOC} \,/\, \angle \text{FOD}$
**02** (1) $30° / 150°$  (2) $40° / 50°$
**03** (1) $45° / 45°, 135°$  (2) $115° / 65°$
**04** (1) $75° / 50°$  (2) $45° / 110°$  (3) $115° / 20°$  (4) $35° / 80°$
**05** $70°$

**01** (2) $\angle \text{AOF}$와 마주 보는 각: $\angle \text{DOC}$
$\angle \text{AOC}$와 마주 보는 각: $\angle \text{FOD}$

잠깐만 **맞꼭지각**: 두 직선이 한 점에서 만날 때 생기는 4개의 각 중 서로 마주 보는 두 각

**02** (1) 맞꼭지각의 크기는 서로 같으므로
$\angle a = 30°, \angle b = 150°$
(2) 맞꼭지각의 크기는 서로 같으므로
$\angle a = 40°, \angle b = 50°$

**03** (1) 맞꼭지각의 크기는 서로 같으므로 $\angle x = 45°$
(평각)$=180°$이므로
$\angle y = 180° - 45° = 135°$
(2) 맞꼭지각의 크기는 서로 같으므로 $\angle y = 65°$
(평각)$=180°$이므로
$\angle x = 180° - 65° = 115°$

**04** (1) 맞꼭지각의 크기는 서로 같으므로 $\angle \text{EOD} = 75°$
(평각)$=180°$이므로 $\angle \text{BOC} = 180° - 55° - 75° = 50°$
(2) 맞꼭지각의 크기는 서로 같으므로 $\angle \text{AOB} = 45°$
(평각)$=180°$이므로 $\angle \text{FOE} = 180° - 25° - 45° = 110°$
(3) 맞꼭지각의 크기는 서로 같으므로 $\angle \text{COD} = 115°$
(평각)$=180°$이므로 $\angle \text{FOE} = 180° - 115° - 45° = 20°$
(4) 맞꼭지각의 크기는 서로 같으므로 $\angle \text{COD} = 35°$
(평각)$=180°$이므로 $\angle \text{BOC} = 180° - 65° - 35° = 80°$

**05** 맞꼭지각의 크기는 서로 같으므로 $\angle y = 55°$
$\angle x = 180° - \angle y$
$= 180° - 55° = 125°$
➡ $\angle x - \angle y = 125° - 55° = 70°$

---

**05** 수직   014~015쪽

**01** (1) $\overleftrightarrow{\text{RS}}$  (2) $\overleftrightarrow{\text{PQ}} \perp \overleftrightarrow{\text{RS}}$
**02** (1) $\times$  (2) $\bigcirc$  (3) $\bigcirc$  (4) $\bigcirc$
**03** $\overline{\text{AD}}, \overline{\text{BC}}$   **04** (1) $40° / 50°$  (2) $55° / 35°$
**05** (1) $55°$  (2) $30°$   **06** $60°$

**01** (1) $\overleftrightarrow{\text{PQ}}$와 $\overleftrightarrow{\text{RS}}$는 서로 수직이다. ➡ $\overleftrightarrow{\text{PQ}}$의 수선은 $\overleftrightarrow{\text{RS}}$이다.
$\quad\quad\quad$ └➤ 교각이 직각

**02** (1) $\overline{\text{AB}}$와 $\overline{\text{AC}}$가 만나서 생기는 각이 직각이 아니므로 직교하지 않는다.

**04** (1) 맞꼭지각의 크기는 서로 같으므로 $\angle x = \angle \text{EOB} = 40°$
$\angle \text{AOD} = 90°$이므로 $\angle y = 90° - 40° = 50°$
(2) 맞꼭지각의 크기는 서로 같으므로 $\angle x = \angle \text{BOF} = 55°$
$\angle \text{AOC} = 90°$이므로 $\angle y = 90° - 55° = 35°$

**05** (1) 맞꼭지각의 크기는 서로 같으므로
$\angle \text{DOB} = \angle \text{AOE} = 145°$
$\angle \text{BOC} = 90°$이므로 $\angle \text{DOC} = 145° - 90° = 55°$
(2) $\angle \text{BOC} = 90°$이므로 $\angle \text{DOB} = 120° - 90° = 30°$
맞꼭지각의 크기는 서로 같으므로
$\angle \text{AOE} = \angle \text{DOB} = 30°$

**06** 맞꼭지각의 크기는 서로 같으므로 $\angle x = \angle \text{EOB} = 75°$
$\angle \text{AOD} = 90°$이므로 $\angle y = 90° - \angle x = 90° - 75° = 15°$
➡ $\angle x - \angle y = 75° - 15° = 60°$

---

**06** 실력 확인 TEST   016~018쪽

**01** 4개   **02** $\overline{\text{AB}}(=\overline{\text{BA}})$   **03** $\overrightarrow{\text{BA}}$
**04** ㉡, ㉣
**05** $\angle \text{BAD}(=\angle \text{DAB}), \angle \text{ABC}(=\angle \text{CBA}),$
$\angle \text{BCD}(=\angle \text{DCB})$
**06** $15°$   **07** 예각, 둔각, 직각
**08** $60°, 15°$   **09** $120°, 155°$   **10** ㉢
**11** $63°$   **12** $37°$   **13** $\angle \text{AOB}$
**14** $40°$   **15** $\overleftrightarrow{\text{AE}} \perp \overleftrightarrow{\text{CG}}$   **16** $\overrightarrow{\text{BF}}$
**17** $108° / 72°$   **18** $25° / 92°$   **19** $55°$
**20** $61°$   **21** $136°$   **22** $40°$
**23** $40°$   **24** $210°$   **25** $40°$

**01** 선과 선이 만나서 생기는 점을 교점이라고 한다.

**02** 점 A와 점 B를 이은 선분이다.
➡ (선분 AB)$=\overline{\text{AB}} = \overline{\text{BA}}$

**03** 점 B에서 시작하여 점 A를 지나는 반직선이다.
➡ (반직선 BA)$=\overrightarrow{\text{BA}}$

**04** $\overset{\bullet}{\underset{\text{A}}{\;}}\,\cdots\,\overset{\bullet}{\underset{\text{B}}{\;}}\,\boxed{\underset{\text{C}}{\;}}\,\boxed{\underset{\text{D}}{\;}}$ ➡ $\overrightarrow{\text{AB}} = \overrightarrow{\text{AC}} = \overrightarrow{\text{AD}}$

**05** 각을 나타낼 때 꼭짓점이 가운데에 오도록 한다.

**07** ∠AOB: 0°보다 크고 90°보다 작으므로 예각이다.
∠AOD: 90°보다 크고 180°보다 작으므로 둔각이다.
∠BOD: 90°이므로 직각이다.

**08** 예각: 0°보다 크고 90°보다 작은 각 ➡ 60°, 15°

**09** 둔각: 90°보다 크고 180°보다 작은 각 ➡ 120°, 155°

**10** ㉠ 항상 예각인 것은 아니다.
ㄴ 둔각   ㄷ 예각

**11** $\angle x = 90° - 27° = 63°$

**12** $53° + \angle x = 90°$ ➡ $\angle x = 90° - 53° = 37°$

**13** ∠EOD와 마주 보는 각을 찾으면 ∠AOB이다.

**14** 맞꼭지각의 크기는 서로 같으므로
$\angle AOF = \angle COD = 40°$

**15** $\overleftrightarrow{AE}$와 $\overleftrightarrow{CG}$의 교각이 직각이므로 $\overleftrightarrow{AE}$와 $\overleftrightarrow{CG}$는 서로 수직이다. ➡ $\overleftrightarrow{AE} \perp \overleftrightarrow{CG}$

**16** $\overleftrightarrow{BF}$와 $\overleftrightarrow{DH}$의 교각이 직각이므로 $\overleftrightarrow{BF}$와 $\overleftrightarrow{DH}$는 서로 수직이다. ➡ $\overleftrightarrow{DH}$의 수선은 $\overleftrightarrow{BF}$이다.

**17** 맞꼭지각의 크기는 서로 같으므로 $\angle x = 108°$
(평각)=180°이므로 $\angle y = 180° - 108° = 72°$

**18** 맞꼭지각의 크기는 서로 같으므로 $\angle x = 25°$
(평각)=180°이므로 $\angle y = 180° - 63° - 25° = 92°$

**19** ∠AOD=90°이고, ∠AOB=∠BOC=∠COD이므로
∠COD=90°÷3=30°
➡ ∠COE=∠COD+∠DOE
=30°+25°=55°

**20** 맞꼭지각의 크기는 서로 같으므로
∠EOB=∠AOF=29°
∠COB=90°이므로 ∠COE=90°-29°=61°

**21** (평각)=180°이므로
∠COB=180°-∠AOC=180°-134°=46°
∠BOD=90°이므로
∠COD=∠COB+90°=46°+90°=136°

**22** ∠AOB=∠AOD-∠BOD=140°-90°=50°
➡ ∠BOC=∠AOC-∠AOB=90°-50°=40°

**23** ∠AOD=180°-116°-14°=50°
➡ ∠COD=∠AOC-∠AOD=90°-50°=40°

**24** $\angle x = 180° - 30° = 150°$
$\angle y = 180° - 90° - 30° = 60°$
➡ $\angle x + \angle y = 150° + 60° = 210°$

**25** 맞꼭지각의 크기는 서로 같으므로
$\angle x = \angle DOF = 25°$
∠AOD=90°이므로 $\angle y = 90° - 25° = 65°$
➡ $\angle y - \angle x = 65° - 25° = 40°$

---

**2단계** 선에서 생기는 각도   019~034쪽

**07** 평행   020~021쪽

**01** ㉢

**02** (1) ⊥   (2) //   (3) ⊥   (4) //

**03** (1) $\overline{AB}$, $\overline{DC}$   (2) $\overline{AD}$, $\overline{BC}$   (3) $\overline{BC}$

**04** 2쌍   **05** (1) //   (2) //

**06** 예      / $m \perp n$

**07** (1) ×   (2) ○

**01** ㉢ 직선 $m$과 직선 $n$은 점 B에서 만나므로 교점이 1개이다.
└ 선과 선이 만나서 생기는 점

**02** (2) $\overline{AB}$와 $\overline{CD}$는 각각 $\overline{EF}$에 수직이므로
$\overline{AB}$와 $\overline{CD}$는 서로 평행하다.

**03** (3) $\overline{AD}$와 $\overline{BC}$는 각각 $\overline{AB}$에 수직이므로
$\overline{AD}$와 $\overline{BC}$는 서로 평행하다.

**04** 직사각형의 네 각은 모두 직각이므로
마주 보는 변끼리 서로 평행하다.

**05** 평행사변형에서 마주 보는 두 변은 서로 평행하다.

**07** (1) $l$ ┬ ┬   ➡ $l \perp n$   (2) $l$ ——   ➡ $l // n$
     $m$ $n$              $m$ ——
                           $n$ ——

---

**08** 동위각 / 엇각   022~023쪽

**01** (1) $\angle e$   (2) $\angle d$   (3) $\angle g$   (4) $\angle b$

**02** (1) 35°   (2) 145°   (3) 70°   (4) 110°

**03** $\angle f$, $\angle q$   **04** 140°

**05** (1) $\angle h$   (2) $\angle f$   **06** ④

**07** $\angle c$, $\angle g$   **08** ㄴ, ㄹ

**01** (1) $\angle a$와 같은 위치의 각: $\angle e$
(2) $\angle h$와 같은 위치의 각: $\angle d$
(3) $\angle c$와 같은 위치의 각: $\angle g$
(4) $\angle f$와 같은 위치의 각: $\angle b$

**02** 동위각은 같은 위치에 있는 각이므로 아래 그림에서 같은 색으로 표시를 한 각이다.

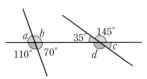

**03** • 직선 $m$, 직선 $n$이 직선 $l$과 만날 때 생기는 각 중 $\angle b$의 동위각: $\angle f$
• 직선 $l$, 직선 $m$이 직선 $n$과 만날 때 생기는 각 중 $\angle b$의 동위각: $\angle q$

**04** ∠AGE의 동위각은 ∠CHG이다.

∠CHD가 평각이므로 ∠CHG=180°−40°=140°

**05** (1) ∠b와 엇갈린 위치의 각: ∠h

(2) ∠d와 엇갈린 위치의 각: ∠f

**06** ① 동위각 ② 동위각 ③ 맞꼭지각 ④ 엇각 ⑤ 동위각

**07** • 직선 $m$, 직선 $n$이 직선 $l$과 만날 때 생기는 각 중 ∠p의
엇각: ∠c

• 직선 $n$, 직선 $l$이 직선 $m$과 만날 때 생기는 각 중 ∠p의
엇각: ∠g

**08** ㉠ ∠b와 ∠d는 동위각이다.

㉢ ∠b=85°, ∠d=40°

➡ ∠b와 ∠d의 크기는 다르다.

---

**09 평행선에서 각도 구하기 (1)** 　　024~025쪽

**01** (1) 21° (2) 145° / 145° / 35°

**02** (1) 55° / 55° / 55° (2) 110° / 110° / 110°

**03** 직선 $n$

**04** (1) 65° / 65°, 50°, 65° (2) 105° / 40°

**05** (1) 75° (2) 65° 　　**06** 65°

---

**01** (1) $l /\!/ m$이므로 동위각의 크기는 서로 같다. ➡ ∠a=21°

(2) (평각)=180°이므로 ∠a=180°−35°=145°

$l /\!/ m$이므로 동위각의 크기는 서로 같다.

➡ ∠b=∠a=145°, ∠c=35°

**02** (1) $n /\!/ p$이므로 ∠a=55°(동위각)

$l /\!/ m$이므로 ∠b=∠a=55°(동위각)

맞꼭지각의 크기는 서로 같으므로 ∠c=∠b=55°

(2) $n /\!/ p$이므로 ∠b=110°(동위각)

$l /\!/ m$이므로 ∠a=∠b=110°(동위각)

맞꼭지각의 크기는 서로 같으므로 ∠c=∠b=110°

**03** 직선 $l$과 직선 $n$에서 동위각의 크기는 서로 같다.

➡ 직선 $l$과 직선 $n$이 서로 평행하다.

**04** (1) $l /\!/ m$이므로 동위각의 크기는 서로 같다. ➡ ∠x=65°

∠y=180°−∠x−50°

=180°−65°−50°=65°

(2) $l /\!/ m$이므로 동위각의 크기
는 서로 같다.

➡ ∠a=35°, ∠y=40°

∠x=180°−∠a−∠y

=180°−35°−40°=105°

**05** (1) ∠a=40°(동위각),

∠b=65°(동위각),

∠c=∠b=65°(맞꼭지각)

➡ ∠x=180°−40°−65°=75°

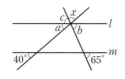

---

(2) ∠a=55°(동위각),

∠b=180°−∠a−60°

=180°−55°−60°=65°

➡ ∠x=∠b=65°(동위각)

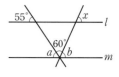

**06** ∠a=75°(동위각)이므로

∠x=180°−75°=105°

∠b=40°(맞꼭지각)이므로

∠y=∠b=40°(동위각)

➡ ∠x−∠y=105°−40°=65°

---

**10 평행선에서 각도 구하기 (2)** 　　026~027쪽

**01** (1) 45° (2) 60° / 60° / 120°

**02** (1) 55° / 55° / 55° (2) 120° / 120° / 120°

**03** ㉠

**04** (1) 55° / 75°, 55°, 50° (2) 40° / 60°

**05** (1) 55° (2) 65° 　　**06** 145°

---

**01** (1) $l /\!/ m$이므로 엇각의 크기는 서로 같다.

➡ ∠a=45°

(2) (평각)=180°이므로 ∠a=180°−120°=60°

$l /\!/ m$이므로 엇각의 크기는 서로 같다.

➡ ∠b=∠a=60°, ∠c=120°

**02** (1) $n /\!/ p$이므로 ∠a=55°(동위각)

$l /\!/ m$이므로 ∠b=55°(엇각)

맞꼭지각의 크기는 서로 같으므로 ∠c=∠b=55°

(2) $l /\!/ m$이므로 ∠a=120°(엇각)

$n /\!/ p$이므로 ∠b=120°(동위각)

맞꼭지각의 크기는 서로 같으므로 ∠c=∠b=120°

**04** (1) $l /\!/ m$이므로 엇각의 크기는 서로 같다. ➡ ∠x=55°

∠y=180°−75°−∠x

=180°−75°−55°=50°

(2) $l /\!/ m$이므로 엇각의 크기는 서
로 같다.

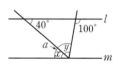

➡ ∠x=40°, ∠a=100°

∠y=∠a−∠x

=100°−40°=60°

**05** (1) ∠a=90°(엇각)

∠b=∠a−35°

=90°−35°=55°

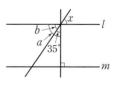

➡ ∠x=∠b=55°(맞꼭지각)

(2) ∠a=75°(엇각)

∠b=180°−40°−∠a

=180°−40°−75°=65°

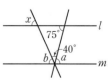

➡ ∠x=∠b=65°(동위각)

**06** $\angle a=105°$(엇각)이므로

$\angle x=180°-105°=75°$

$\angle y=70°$(동위각)

➡ $\angle x+\angle y=75°+70°=145°$

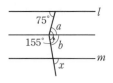

---

## 11 평행선에서 각도 구하기(3)

028~029쪽

**01** $30°$, $120°$, $60°$, $90°$

**02** (1) $80°$ (2) $75°$ (3) $110°$ (4) $75°$

**03** $100°$

**04** $60°$, $70°$, $70°$

**05** (1) $80°$ (2) $95°$ (3) $65°$ (4) $55°$

**06** $155°$

---

**02** (1) 직선 $l$과 $m$에 평행하도록 보조선

을 그으면 $\angle a=55°$(엇각),

$\angle b=25°$(엇각)

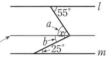

➡ $\angle x=\angle a+\angle b$

$=55°+25°=80°$

(2) 직선 $l$과 $m$에 평행하도록 보조선

을 그으면 $\angle a=25°$(엇각),

$\angle b=50°$(엇각)

➡ $\angle x=\angle a+\angle b$

$=25°+50°=75°$

(3) 직선 $l$과 $m$에 평행하도록 보조선

을 그으면 $\angle a=40°$(엇각),

$\angle b=110°$(엇각),

$\angle c=180°-\angle b$

$=180°-110°=70°$

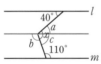

➡ $\angle x=\angle a+\angle c$

$=40°+70°=110°$

(4) 직선 $l$과 $m$에 평행하도록 보조선

을 그으면 $\angle a=30°$(엇각),

$\angle b=135°$(엇각),

$\angle c=180°-\angle b$

$=180°-135°=45°$

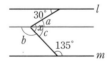

➡ $\angle x=\angle a+\angle c$

$=30°+45°=75°$

**03** 직선 $l$과 $m$에 평행하도록 보조선

을 그으면 $\angle a=35°$(엇각)

$\angle b=180°-115°=65°$이므로

$\angle c=\angle b=65°$(엇각)

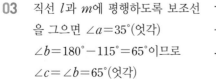

➡ $\angle x=\angle a+\angle c$

$=35°+65°=100°$

---

**05** (1) 직선 $l$과 $m$에 평행하도록 보조선

을 그으면 $\angle a=75°$(엇각)

→ $\angle b=155°-\angle a$

$=155°-75°=80°$

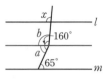

➡ $\angle x=\angle b=80°$(동위각)

(2) 직선 $l$과 $m$에 평행하도록 보조선

을 그으면 $\angle a=65°$(엇각)

→ $\angle b=160°-\angle a$

$=160°-65°=95°$

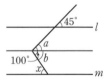

➡ $\angle x=\angle b=95°$(동위각)

(3) 직선 $l$과 $m$에 평행하도록 보조선

을 그으면 $\angle a=40°$(동위각)

→ $\angle b=105°-\angle a$

$=105°-40°=65°$

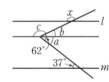

➡ $\angle x=\angle b=65°$(엇각)

(4) 직선 $l$과 $m$에 평행하도록 보조선

을 그으면 $\angle a=45°$(동위각)

→ $\angle b=100°-\angle a$

$=100°-45°=55°$

➡ $\angle x=\angle b=55°$(엇각)

**06** 직선 $l$과 $m$에 평행하도록 보조선을

그으면 $\angle a=37°$(엇각)

→ $\angle b=62°-\angle a$

$=62°-37°=25°$

$\angle c=180°-\angle b$

$=180°-25°=155°$

➡ $\angle x=\angle c=155°$(동위각)

---

## 12 직사각형 모양의 종이를 접었을 때 생기는 각도 구하기

030~031쪽

**01** QPR, $32°$, $32°$, $64°$, APR, $64°$

**02** $38°$

**03** ① $74°$ ② $90°$ ③ $16°$

**04** DPR, $70°$, DPR, $70°$, $70°$, $70°$, $40°$

**05** $34°$

**06** $64°$

---

**02** 접은 각의 크기는 같으므로 $\angle PRQ=\angle x$

$\overline{AD} /\!/ \overline{BC}$이므로 $\angle PRB=\angle DPR=76°$(엇각)

$\angle PRB=\angle PRQ+\angle x$

$=\angle x+\angle x=76°$

➡ $\angle x=38°$

잠깐만 두 직선이 평행할 때 엇각의 크기는 서로 같다.

**03** ① 접은 각의 크기는 같으므로 ∠DPQ=37°

➡ ∠DPR=37°+37°=74°

$\overline{AD}$∥$\overline{BC}$이므로 ∠PRB=∠DPR=74°(엇각)

② ∠PRQ=∠PDQ=90°

③ $\overline{BC}$에서 ∠QRC=180°−74°−90°=16°

**05** 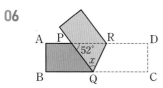 ← 사각형 ABCD는 직사각형이므로 $\overline{AD}$∥$\overline{BC}$

접은 각의 크기는 같으므로 ∠APQ=73°

$\overline{AD}$∥$\overline{BC}$이므로 ∠PQR=∠APQ=73°(엇각)

삼각형 PQR에서 73°+73°+∠x=180°, ∠x=34°

**06**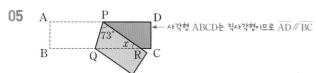

접은 각의 크기는 같으므로 ∠RQC=∠x

$\overline{AD}$∥$\overline{BC}$이므로 ∠PRQ=∠RQC=∠x(엇각)

삼각형 PQR에서 52°+∠x+∠x=180°, ∠x=64°

> **잠깐만** 접은 각의 크기가 같다는 것과 평행선의 성질을 이용하여 ∠x와 크기가 같은 각을 찾는다.

---

## 13 실력 확인 TEST                    032~034쪽

| | | |
|---|---|---|
| **01** $\overline{BC}$ | **02** ∥ | **03** ∠f / ∠c |
| **04** ③, ⑤ | **05** 65° | **06** 115° |
| **07** ⓛ | **08** 110° / 110° / 110° | |
| **09** 130° | **10** 25° | **11** 45° / 85° |
| **12** 40° / 75° | **13** 55° / 70° | **14** 75° |
| **15** 55° / 70° / 55° | | **16** 255° |
| **17** 104° | **18** 65° | **19** 45° |
| **20** 85° | **21** 55° | **22** 95° |
| **23** 59° | **24** 40° | **25** 80° |

**01** $\overline{AD}$와 $\overline{BC}$는 각각 $\overline{AB}$에 수직이므로
$\overline{AD}$와 $\overline{BC}$는 서로 평행하다.

**02**
———— n
———— m ➡ m∥n
———— l

**03** ∠b와 같은 위치의 각: ∠f
∠e와 엇갈린 위치의 각: ∠c

**04** ① ∠a의 동위각은 ∠c이다.
② ∠a=50°, ∠c=180°−95°=85°
④ ∠c의 엇각의 크기는 50°이다.

**05** l∥m일 때 동위각의 크기는 서로 같다.
➡ ∠x=65°

**06** l∥m일 때 엇각의 크기는 서로 같다. ➡ ∠x=115°

**07** ⊙ 동위각의 크기가 다르므로 직선 l과 직선 m이 평행하지 않다.
ⓛ 엇각의 크기가 같으므로 직선 l과 직선 m이 평행하다.

**08** l∥m이므로 ∠a=110°(엇각)
n∥p이므로 ∠b=∠a=110°(동위각), ∠c=110°(동위각)

**09** ∠a의 동위각은 ∠b이다.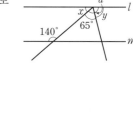
∠b=180°−50°
=130°

**10** ∠a의 엇각은 ∠c이다.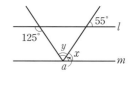
→ ∠c=105°(맞꼭지각)
∠b의 동위각의 크기는 130°이다.
➡ 130°−105°=25°

**11** l∥m이므로 동위각의 크기는 서로 같다.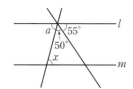
➡ ∠x=45°
∠y=180°−∠x−50°
=180°−45°−50°=85°

**12** l∥m이므로 엇각의 크기는 서로 같다.
➡ ∠a=140°
∠y=∠a−65°
=140°−65°=75°
∠x=180°−∠a
=180°−140°=40°

**13** l∥m이므로 동위각의 크기와 엇각의 크기는 각각 같다.
➡ ∠x=55°, ∠a=125°
∠y=∠a−∠x
=125°−55°=70°

**14** ∠a=180°−50°−55°
=75°
∠x=∠a=75°(엇각)

**15** ∠b=70°(엇각)
➡ ∠a=125°−∠b
=125°−70°=55°
∠x=∠a=55°(엇각)

**16** ∠x=150°(엇각), ∠y=105°(동위각)
➡ ∠x+∠y=150°+105°=255°

**17** ∠a=180°−38°=142°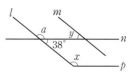
n∥p이므로
∠x=∠a=142°(동위각)
l∥m이므로 ∠y=38°(엇각)
➡ ∠x−∠y=142°−38°=104°

**18** 직선 $l$과 $m$에 평행하도록 보조선을
그으면

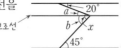

$\angle a=20°$(엇각),

$\angle b=45°$(엇각)

➡ $\angle x=\angle a+\angle b$

$=20°+45°=65°$

**19** 직선 $l$과 $m$에 평행하도록 보조선
을 그으면 $\angle a=15°$(엇각),

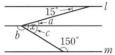

$\angle b=150°$(엇각),

$\angle c=180°-\angle b$

$=180°-150°=30°$

➡ $\angle x=\angle a+\angle c$

$=15°+30°=45°$

**20** 직선 $l$과 $m$에 평행하도록 보조선을
그으면 $\angle a=60°$(엇각)

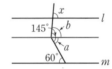

➡ $\angle b=145°-\angle a$

$=145°-60°=85°$

$\angle x=\angle b=85°$(동위각)

**21** 직선 $l$과 $m$에 평행하도록 보조선을
그으면 $\angle a=45°$(엇각)

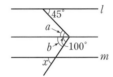

➡ $\angle b=100°-\angle a$

$=100°-45°=55°$

$\angle x=\angle b=55°$(동위각)

**22** 직선 $l$과 $m$에 평행하도록 보조선을
그으면 $\angle a=35°$(동위각),

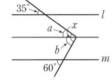

$\angle b=60°$(동위각)

➡ $\angle x=\angle a+\angle b$

$=35°+60°=95°$

**23** 직선 $l$과 $m$에 평행하도록 보조선을
그으면 $\angle a=21°$(동위각)

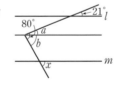

➡ $\angle b=80°-\angle a$

$=80°-21°=59°$

$\angle x=\angle b=59°$(동위각)

**24** 접은 각의 크기는 같으므로

$\angle DPR=\angle x$

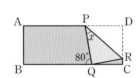

$\overline{AD}/\!/\overline{BC}$이므로

$\angle DPQ=\angle PQB=80°$(엇각)

$\angle DPQ=\angle x+\angle x=80°$

➡ $\angle x=40°$

**25** 접은 각의 크기는 같으므로

$\angle RQC=50°$

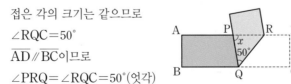

$\overline{AD}/\!/\overline{BC}$이므로

$\angle PRQ=\angle RQC=50°$(엇각)

삼각형 PQR의 세 각의 크기의 합은 $180°$이므로

$\angle x=180°-(50°+50°)=80°$

---

**3단계** 작도 / 합동 / 닮음    035~052쪽

**14** 간단한 도형의 작도    036~037쪽

**01** ㉡, ㉠, ㉢    **02**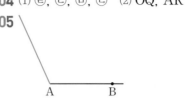

**03** ㉢, ㉠, ㉡

**04** (1) ㉣, ㉢, ㉤, ㉡ (2) $\overline{OQ}$, $\overline{AR}$ (3) $\overline{RS}$ (4) $\angle RAS$

**05**

① 직선 $l$을 긋고 한 점 P 잡기
② $\overline{AB}$의 길이 재기
③ 반지름이 $\overline{AB}$인 원 그리기

**02**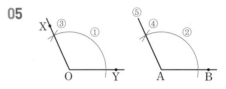

**05**

**15** 삼각형의 작도 (1)    038~039쪽

**01** (1) $\overline{PR}$ (2) $\overline{PQ}$ (3) $\angle R$ (4) $\angle Q$

**02** (1) ◯ (2) × (3) ◯ (4) × (5) × (6) ◯

**03** ① $\overline{BC}$ ② $c$, $b$ ③ $\overline{AC}$

**04** $\overline{AB}$

**01** (1) $\angle Q$와 마주 보는 변을 찾으면 $\overline{PR}$이다.

(2) $\angle R$과 마주 보는 변을 찾으면 $\overline{PQ}$이다.

(3) $\overline{PQ}$와 마주 보는 각을 찾으면 $\angle R$이다.

(4) $\overline{PR}$과 마주 보는 각을 찾으면 $\angle Q$이다.

**02** (1) $4\,\text{cm}+5\,\text{cm}=9\,\text{cm}>8\,\text{cm}$

➡ 삼각형을 만들 수 있다.

(2) $6\,\text{cm}+7\,\text{cm}=13\,\text{cm}<14\,\text{cm}$

➡ 삼각형을 만들 수 없다.

(3) $9\,\text{cm}+12\,\text{cm}=21\,\text{cm}>15\,\text{cm}$

➡ 삼각형을 만들 수 있다.

(4) $10\,\text{cm}+13\,\text{cm}=23\,\text{cm}<25\,\text{cm}$

➡ 삼각형을 만들 수 없다.

(5) $7\,\text{cm}+9\,\text{cm}=16\,\text{cm}$ ➡ 삼각형을 만들 수 없다.

(6) $8\,\text{cm}+16\,\text{cm}=24\,\text{cm}>21\,\text{cm}$

➡ 삼각형을 만들 수 있다.

잠깐만 삼각형을 만들 수 있는 조건
➡ (가장 긴 변의 길이)<(나머지 두 변의 길이의 합)

**04**

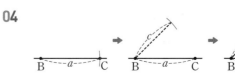

## 16 삼각형의 작도 (2)
040~041쪽

**01** ㉢, ㉠, ㉡
**02** ∠A, $\overline{AB}$
**03** ① $a$  ② ∠B, ∠C  ③ $\overrightarrow{CY}$
**04** $\overline{BC}$, ∠C

**02**

**04**

## 17 도형의 합동 / 삼각형의 합동 (1)
042~043쪽

**01** (1) 4 cm  (2) 8 cm  (3) 60°  (4) 90°
**02** (1) 11 cm  (2) 10 cm  (3) 80°  (4) 65°
**03** 50°
**04** $\overline{DE}$, $\overline{EF}$, $\overline{AC}$, SSS
**05** $\overline{CB}$, $\overline{CD}$, $\overline{BD}$, SSS
**06** ㉡

**01** (1) $\overline{AC}$의 대응변은 $\overline{DF}$이므로 $\overline{AC}=\overline{DF}=4$ cm
(2) $\overline{DE}$의 대응변은 $\overline{AB}$이므로 $\overline{DE}=\overline{AB}=8$ cm
(3) ∠A의 대응각은 ∠D이므로 ∠A=∠D=60°
(4) ∠F의 대응각은 ∠C이므로 ∠F=∠C=90°

> [잠깐만] 서로 합동인 두 삼각형에서
> ① 대응변의 길이는 서로 같다.
> ② 대응각의 크기는 서로 같다.

**02** (1) $\overline{AB}$의 대응변은 $\overline{EF}$이므로 $\overline{AB}=\overline{EF}=11$ cm
(2) $\overline{GF}$의 대응변은 $\overline{CB}$이므로 $\overline{GF}=\overline{CB}=10$ cm
(3) ∠B의 대응각은 ∠F이므로 ∠B=∠F=80°
(4) ∠E의 대응각은 ∠A이므로 ∠E=∠A=65°

**03** ∠A의 대응각은 ∠D이므로
∠A=∠D=75°
△ABC의 세 각의 크기의 합은 180°이므로
∠C=180°−(75°+55°)=50°

**04** △ABC와 △DEF에서 세 쌍의 대응변의 길이가 각각 같으므로 SSS 합동이다.

> [잠깐만] 두 삼각형에서 세 쌍의 대응변의 길이가 각각 같을 때 서로 합동이다. ➡ SSS 합동

**05** △ABD와 △CBD에서 세 쌍의 대응변의 길이가 각각 같으므로 SSS 합동이다.

**06** 보기의 삼각형과 세 변의 길이가 각각 같은 삼각형을 찾으면 ㉡이다.

## 18 삼각형의 합동 (2)
044~045쪽

**01** $\overline{DF}$, $\overline{EF}$, ∠F, SAS
**02** $\overline{DF}$
**03** COD, SAS
**04** ∠A, $\overline{AB}$, ∠E, ASA
**05** $\overline{DF}$
**06** (1) MON, ASA  (2) PRQ, SSS  (3) KJL, SAS

**01** △ABC와 △DEF에서 두 쌍의 대응변의 길이가 각각 같고, 그 끼인각의 크기가 같으므로 SAS 합동이다.

**02** 두 삼각형이 SAS 합동이 되려면
두 쌍의 대응변의 길이가 각각 같고, 그 끼인각의 크기가 같아야 하므로
필요한 조건은 $\overline{AC}=\overline{DF}$이다.

**03** $\overline{AO}=\overline{CO}$, $\overline{BO}=\overline{DO}$, ∠AOB=∠COD(맞꼭지각)이므로 △AOB와 △COD는 SAS 합동이다.

**04** △ABC와 △DEF에서 한 쌍의 대응변의 길이가 같고, 그 양 끝 각의 크기가 각각 같으므로 ASA 합동이다.

**05** 두 삼각형이 ASA 합동이 되려면 한 쌍의 대응변의 길이가 같고, 그 양 끝 각의 크기가 각각 같아야 하므로
필요한 조건은 $\overline{AC}=\overline{DF}$이다.

**06** (1)

➡ 한 쌍의 대응변의 길이가 같고, 그 양 끝 각의 크기가 각각 같으므로 ASA 합동이다.

(2)

➡ 세 쌍의 대응변의 길이가 각각 같으므로 SSS 합동이다.

(3)

➡ 두 쌍의 대응변의 길이가 각각 같고, 그 끼인각의 크기가 같으므로 SAS합동이다.

## 19 직각삼각형의 합동
046~047쪽

01 (1) ∠F, $\overline{DE}$, ∠E, RHA  (2) 2 cm
02 KJL, RHA
03 (1) 90°, $\overline{AB}$, $\overline{EF}$, RHS  (2) 60°
04 (1) NMO, RHA  (2) RPQ, RHS

01 (1) 두 직각삼각형의 빗변의 길이와 한 예각의 크기가 각각
　　같으므로 △ABC≡△DEF(RHA 합동)
　(2) $\overline{DF}$의 대응변은 $\overline{AC}$이므로 $\overline{DF}=\overline{AC}=2$ cm

02

　➡ 빗변의 길이와 한 예각의 크기가 각각 같으므로 RHA
　　합동이다.

03 (1) 두 직각삼각형의 빗변의 길이와 다른 한 변의 길이가 각
　　각 같으므로 △ABC≡△DEF(RHS 합동)
　(2) ∠E의 대응각은 ∠B이므로 ∠E=∠B=60°

04 (1)

　　➡ 두 직각삼각형의 빗변의 길이와 한 예각의 크기가 각
　　각 같으므로 RHA 합동이다.
　(2)

　　➡ 두 직각삼각형의 빗변의 길이와 다른 한 변의 길이가
　　각각 같으므로 RHS 합동이다.

## 20 도형의 닮음
048~049쪽

01 (1) 6, 9 / 3  (2) 4 / 28 / 4  (3) 3, 4 / 5  (4) 9 / 2 / 9
02 ∽
03 ④
04 (1) 2, 3, 2, 3  (2) 2, 3, 2, 3, 6  (3) A, 80°
05 85 / 10

01 (1) 2 : 3=(2×3) : (3×3)=6 : 9
　(2) 3 : 7=(3×4) : (7×4)=12 : 28
　(3) 15 : 20=(15÷5) : (20÷5)=3 : 4
　(4) 27 : 18=(27÷9) : (18÷9)=3 : 2

02 □EFGH는 □ABCD의 각 변의 길이를 2배로 확대한 도
　형이므로
　　□ABCD와 □EFGH는 닮은 도형이다.
　➡ □ABCD∽□EFGH

03 $\overline{AB}$의 대응변은 $\overline{EF}$이다.
　$\overline{AB} : \overline{EF}=6 : 4=3 : 2$
　➡ 닮음비는 3 : 2이다.

04 (2) 4 : $\overline{DF}=2 : 3$에서 2 : 3=(2×2) : (3×2)=4 : 6이므로
　　$\overline{DF}=6$ cm
　(3) ∠D의 대응각은 ∠A이다.
　　➡ ∠D=∠A=80°

05 □ABCD∽□EFGH이므로 ∠F=∠B=60°
　□EFGH에서
　∠H=360°−(125°+60°+90°)=85° ➡ $x=85$
　$\overline{BC} : \overline{FG}=6 : 12=1 : 2$이므로 닮음비는 1 : 2이다.
　$\overline{DC} : \overline{HG}=1 : 2$에서
　1 : 2=5 : $\overline{HG}$, $\overline{HG}=10$ cm ➡ $y=10$

## 21 실력 확인 TEST
050~052쪽

| 01 ㄴ | 02 ㄴ, ㄷ, ㄱ | 03 ③ |
|---|---|---|
| 04 4 cm | 05 × | 06 ○ |
| 07 FDE, SAS | 08 KLJ, ASA | 09 QRP, SSS |
| 10 $\overline{AC}$, $\overline{BC}$ | 11 EFD, RHS | 12 ㄷ |
| 13 ⑤ | 14 1 : 2 | 15 80° |
| 16 ㄴ | 17 ③ | 18 $\overline{CA}=\overline{FD}$ |
| 19 12 cm | 20 110° | 21 ㄴ, ㄹ |
| 22 9 cm | 23 ABC, HIG, ASA | |
| 24 ABC, CDA, SSS | | |
| 25 ABD, CDB, ASA | | |

01 주어진 선분과 길이가 같은 선분을 작도할 때는 컴퍼스를
　사용한다.

04 ∠A의 대변은 $\overline{BC}$이다.
　➡ $\overline{BC}=4$ cm

05 7 cm+8 cm=15 cm<16 cm
　➡ 삼각형을 만들 수 없다.
　잠깐만 (가장 긴 변의 길이)<(나머지 두 변의 길이의 합)

06 5 cm+9 cm=14 cm>12 cm
　➡ 삼각형을 만들 수 있다.

07 두 쌍의 대응변의 길이가 각각 같고, 그 끼인각의 크기가
　같으므로 SAS 합동이다.

08 한 쌍의 대응변의 길이가 같고, 그 양 끝 각의 크기가 각각
　같으므로 ASA 합동이다.

09 세 쌍의 대응변의 길이가 각각 같으므로 SSS 합동이다.

11 두 직각삼각형에서 빗변의 길이와 다른 한 변의 길이가 각
　각 같으므로 RHS 합동이다.

**13** ① $4\,\text{cm}+5\,\text{cm}=9\,\text{cm}>8\,\text{cm}$

② $5\,\text{cm}+5\,\text{cm}=10\,\text{cm}>8\,\text{cm}$

③ $5\,\text{cm}+7\,\text{cm}=12\,\text{cm}>8\,\text{cm}$

④ $5\,\text{cm}+8\,\text{cm}=13\,\text{cm}>10\,\text{cm}$

⑤ $5\,\text{cm}+8\,\text{cm}=13\,\text{cm}<15\,\text{cm}$ ➡ 삼각형이 될 수 없다.

**14** $\overline{\text{AD}}$의 대응변은 $\overline{\text{EH}}$이므로

□ABCD와 □EFGH의 닮음비는

$\overline{\text{AD}}:\overline{\text{EH}}=4:8=1:2$

**15** ∠C의 대응각은 ∠G이다.

➡ ∠C=∠G=80°

**16** ㉡ 한 쌍의 대응변의 길이가 같고, 그 양 끝 각의 크기가 각각 같으므로 ASA 합동이다.

**17** ③ 두 직각삼각형에서 빗변의 길이와 한 예각의 크기가 각각 같으므로 RHA 합동이다.

**18** 두 삼각형이 SAS 합동이 되려면 두 쌍의 대응변의 길이가 각각 같고, 그 끼인각의 크기가 같아야 하므로 필요한 조건은 $\overline{\text{CA}}=\overline{\text{FD}}$이다.

**19** △ABC와 △EFD에서

∠B=∠F=90°, $\overline{\text{AC}}=\overline{\text{ED}}$, $\overline{\text{BC}}=\overline{\text{FD}}$이므로

△ABC≡△EFD(RHS 합동)

➡ $\overline{\text{EF}}=\overline{\text{AB}}=12\,\text{cm}$

**20** ∠A=∠E=85°

□ABCD의 네 각의 크기의 합은 360°이므로

∠D=360°−(85°+65°+100°)=110°

**21** ㉠ $\overline{\text{AC}}=\overline{\text{DF}}$

㉡ $\overline{\text{BC}}=\overline{\text{EF}}=10\,\text{cm}$

㉢ ∠D=∠A=65°

㉣ ∠C=180°−(65°+35°)=80°

➡ ∠F=∠C=80°

**22** 닮음비는 $\overline{\text{AB}}:\overline{\text{DE}}=2:3$이므로

$\overline{\text{AC}}:\overline{\text{DF}}=2:3$에서 $2:3=6:\overline{\text{DF}}$ ←×3

➡ $\overline{\text{DF}}=9\,\text{cm}$

**23**

➡ △ABC와 △HIG에서 한 쌍의 대응변의 길이가 같고, 그 양 끝 각의 크기가 각각 같으므로 ASA 합동이다.

**24** △ABC와 △CDA에서

$\overline{\text{AB}}=\overline{\text{CD}}=9\,\text{cm}$, $\overline{\text{BC}}=\overline{\text{DA}}=7\,\text{cm}$, $\overline{\text{AC}}$는 공통인 변

➡ △ABC≡△CDA(SSS 합동)

**25** △ABD와 △CDB에서

∠ABD=∠CDB, ∠ADB=∠CBD, $\overline{\text{BD}}$는 공통인 변

➡ △ABD≡△CDB(ASA 합동)

---

**22** 삼각형의 내각　　　054~055쪽

**01**

**02** (1) 70° (2) 105° (3) 120° (4) 40°

**03** (1) 145° (2) 85° (3) 130° (4) 155°

**04** (1) 60° / 75° (2) 75° / 45° (3) 85° (4) 45°

**05** ① 40° ② 25° ③ 115°

**02** (1) ∠$x$=180°−(60°+50°)=70°

(2) ∠$x$=180°−(30°+45°)=105°

**03** (1) ∠$x$+∠$y$=180°−35°=145°

(2) ∠$x$+∠$y$=180°−95°=85°

(3) ∠$x$+∠$y$=180°−50°=130°

(4) ∠$x$+∠$y$=180°−25°=155°

**04** (1) △CDE에서 ∠DCE=180°−(65°+55°)=60°

➡ ∠$x$=∠DCE=60°(맞꼭지각)

△ABC에서 ∠$y$=180°−(45°+60°)=75°

(2) △CDE에서 ∠DCE=180°−(45°+60°)=75°

➡ ∠$x$=∠DCE=75°(맞꼭지각)

△ABC에서 ∠$y$=180°−(60°+75°)=45°

(3) △ABC에서 ∠ACB=180°−(25°+100°)=55°

➡ ∠ECD=∠ACB=55°(맞꼭지각)

△CDE에서 ∠$x$=180°−(55°+40°)=85°

(4) △CDE에서 ∠DCE=180°−(30°+50°)=100°

➡ ∠ACB=∠DCE=100°(맞꼭지각)

△ABC에서 ∠$x$=180°−(35°+100°)=45°

**05** ① △ABC에서 ∠ACB=180°−(55°+85°)=40°

② △DBC에서 ∠DBC=180°−(60°+95°)=25°

③ △EBC에서 ∠$x$=180°−(40°+25°)=115°

---

**23** 삼각형의 외각　　　056~057쪽

**01** 예 / 60°

**02** (1) 115° (2) 140° (3) 105°

**03** (1) 35°, 85° (2) 85°, 45°, 130° (3) 110° (4) 155°

**04** (1) 50° (2) 65°

**05** (1) 75° / 130° (2) 60° / 110°

**06** ① 30° ② 60° ③ 105°

**01** (∠B의 외각)=180°−120°=60°

**02** (1) (∠A의 외각)=180°−65°=115°

(2) (∠B의 외각)=180°−40°=140°

(3) (∠C의 외각)=180°−75°=105°

**03** (1) (한 외각의 크기)

=(그와 이웃하지 않는 두 내각의 크기의 합)

(3) ∠x=75°+35°=110°

(4) ∠x=15°+140°=155°

**04** (1) 60°+∠x=110° ➡ ∠x=50°

(2) ∠x+65°=130° ➡ ∠x=65°

**05** (1) ∠x=180°−105°=75°

∠y=∠x+55°

=75°+55°=130°

(2) ∠x=180°−120°=60°

∠y=50°+∠x

=50°+60°=110°

**06** ① △ADC에서 ∠ACD=180°−(45°+105°)=30°

② ∠ACB=∠ACD×2=30°×2=60°

③ △ABC에서

∠EBD=∠BAC+∠ACB

=45°+60°=105°

---

## 24 삼각형의 외각의 합 / 정삼각형의 외각  058~059쪽

**01** (1) 130°  (2) 125°

**02** (1) 35°, 145°/ 115°  (2) 115°/ 125°

**03** (1) 85°  (2) 145°

**04** (1) 120°  (2) 120°  (3) 120°

**05** (1) 25°  (2) 20°

**06** ① 60°  ② 30°  ③ 55°

**01** (1) 삼각형의 세 외각의 크기의 합은 360°이므로

∠x=360°−(120°+110°)=130°

(2) 삼각형의 세 외각의 크기의 합은 360°이므로

∠x=360°−(85°+150°)=125°

**02** (1) ∠x=180°−35°=145°

삼각형의 세 외각의 크기의 합은 360°이므로

∠y=360°−(100°+145°)=115°

(2) ∠x=180°−65°=115°

삼각형의 세 외각의 크기의 합은 360°이므로

∠y=360°−(115°+120°)=125°

**03** (1) 삼각형의 세 외각의 크기의 합은 360°이므로

∠x=360°−(180°−40°)−135°=85°

(2) 삼각형의 세 외각의 크기의 합은 360°이므로

∠x=360°−105°−(180°−70°)=145°

**04** 정삼각형에서 세 외각의 크기는 모두 같다.

(한 외각의 크기)=$\dfrac{360°}{3}$=120°

**05** (1) △ABC는 정삼각형이므로

∠ACD=180°−60°=120°

△ACD에서 ∠x=180°−(35°+120°)=25°

(2) △ABC는 정삼각형이므로

∠CBD=180°−60°=120°

△CBD에서 ∠x=180°−(120°+40°)=20°

**06** ① △ABC는 정삼각형이므로 ∠ABC=60°

② ∠ABD=∠DBC이므로

∠DBC=∠ABC÷2=60°÷2=30°

③ △BCD에서

∠DCE=∠DBC+∠BDC

=30°+25°=55°

---

## 25 직각삼각형의 각도 구하기  060~061쪽

**01** (1) 40°  (2) 45°  (3) 57°  (4) 28°

**02** (1) 90°, 125°  (2) 150°  (3) 119°  (4) 133°

**03** (1) 25°/ 65°  (2) 35°/ 55°

**04** (1) 25°  (2) 60°

**05** ① 25°  ② 50°  ③ 40°

**01** (1) ∠x=180°−(50°+90°)=40°

(2) ∠x=180°−(90°+45°)=45°

(3) ∠x=180°−(33°+90°)=57°

(4) ∠x=180°−(90°+62°)=28°

**02** (1) ∠x=∠B+∠C

=35°+90°=125°

(2) ∠x=∠A+∠B

=60°+90°=150°

(3) ∠x=∠A+∠C

=90°+29°=119°

(4) ∠x=∠A+∠B

=90°+43°=133°

> **잠깐만** 삼각형에서
> (한 외각의 크기)=(그와 이웃하지 않는 두 내각의 크기의 합)

**03** (1) △DBC에서 ∠x=180°−(135°+20°)=25°

△ABC에서 ∠y=180°−(90°+25°)=65°

(2) △ABC에서 ∠x=180°−(55°+90°)=35°

△DBC에서 ∠y=180°−(90°+35°)=55°

**04** (1) △BCD에서 ∠DBC=180°−(55°+90°)=35°
➡ ∠ABD=85°−35°=50°
△ABD에서 ∠$x$=180°−(105°+50°)=25°

(2) △ABC에서 ∠BAC=180°−(90°+35°)=55°
➡ ∠DAC=75°−55°=20°
△ACD에서 ∠$x$=180°−(20°+100°)=60°

**05** ① △DBC에서 ∠DBC=180°−(15°+140°)=25°
② ∠ABD=∠DBC이므로
∠ABC=∠DBC×2=25°×2=50°
③ △ABC에서 ∠BAC=180°−(50°+90°)=40°

---

## 26 이등변삼각형의 각도 구하기 (1)  [ 062~063쪽 ]

**01** (1) 70°  (2) 120°  (3) 40°  (4) 70°
**02** (1) 65°/ 50°  (2) 35°/ 110°
**03** (1) 35°/ 35°, 70°  (2) 55°/ 125°
**04** (1) 65°  (2) 80°
**05** ① 35°  ② 70°  ③ 70°

---

**01** (1) ∠$x$=180°−(55°+55°)=70°
(2) ∠$x$=180°−(30°+30°)=120°
(3) ∠$x$=(180°−100°)÷2=40°
(4) ∠$x$=(180°−40°)÷2=70°

**02** (1) 두 변의 길이가 같으므로 이등변삼각형이다.
∠$x$=65°
∠$y$=180°−(65°+65°)=50°
(2) 두 변의 길이가 같으므로 이등변삼각형이다.
∠$x$=35°
∠$y$=180°−(35°+35°)=110°

**03** (1) △ABC는 이등변삼각형이므로
∠$x$=⎡35°⎤
∠$y$=35°+∠$x$
=35°+35°=70°
(2) △ABC는 이등변삼각형이므로
∠$x$=(180°−70°)÷2=⎡55°⎤
∠$y$=70°+∠$x$
=70°+55°=125°

**04** (1) ∠ACB=180°−115°=65°
△ABC는 이등변삼각형이므로
∠$x$=∠ACB=65°
(2) ∠BAC=180°−130°=50°
△ABC는 이등변삼각형이므로
∠ABC=∠BAC=50°
➡ ∠$x$=180°−(50°+50°)=80°

---

**05** ① △DBC는 이등변삼각형이므로
∠DCB=∠DBC=35°
② △DBC에서 ∠ADC=35°+35°=70°
③ △ADC는 이등변삼각형이므로
∠DAC=∠ADC=70°

---

## 27 이등변삼각형의 각도 구하기 (2)  [ 064~065쪽 ]

**01** ㉢
**02** (1) 90°/ 90°, 50°  (2) 90°/ 35°
**03** (1) 25°  (2) 75°
**04** DAC, BAC, BAC, 이등변, 7 cm
**05** ① 55°  ② 55°  ③ 70°
**06** (1) 13  (2) 110

---

**01** ㉢ ∠ABD=∠ACD, ∠BAD=∠CAD

**02** (1) $\overline{AD}$는 ∠A를 이등분하므로 ∠$x$=90°
△ABD에서 ∠$y$=180°−(40°+90°)=50°
(2) $\overline{AD}$는 ∠A를 이등분하므로 ∠$x$=90°
△ACD에서 ∠CAD=180°−(90°+55°)=35°
➡ ∠$y$=∠CAD=35°

> **잠깐만** 이등변삼각형에서
> 꼭지각을 이등분하는 선분은 밑변과 수직으로
> 만난다.

**03** (1) △ABD에서 ∠BAD=180°−(65°+90°)=25°
$\overline{AD}⊥\overline{BC}$이므로 $\overline{AD}$는 ∠A를 이등분한다.
➡ ∠$x$=∠BAD=25°
(2) $\overline{AD}⊥\overline{BC}$이므로 $\overline{AD}$는 ∠A를 이등분한다.
➡ ∠BAD=∠CAD=15°
△ABD에서 ∠$x$=180°−(15°+90°)=75°

**04** **잠깐만** ① 두 직선이 평행할 때, 엇각의 크기는 서로 같다.
② 접은 각의 크기는 같다.

**05** ① $\overline{DG}$∥$\overline{EF}$이므로 ∠ACB=∠CBF=55°(엇각)
② ∠ABC=∠CBF=55°(접은 각)
③ △ABC에서 ∠BAC=180°−(55°+55°)=70°

**06** (1) ∠ACB=∠CBF(엇각)
∠ABC=∠CBF(접은 각)
➡ ∠ACB=∠ABC
따라서 △ABC는 이등변삼각형이므로
$\overline{AC}=\overline{AB}$=13 cm
➡ $x$=13
(2) ∠CBF=∠ACB=35°(엇각)
∠ABC=∠CBF=35°(접은 각)
△ABC에서 ∠BAC=180°−(35°+35°)=110°
➡ $x$=110

## 28 원 안의 삼각형의 각도 구하기 066~067쪽

**01** 이등변삼각형
**02** ㉡, ㉢
**03** 45°
**04** (1) 40°/ 40°, 100°  (2) 50°/ 80°  (3) 38°/ 104°
　　(4) 67°/ 46°
**05** (1) 70°  (2) 130°  (3) 20°  (4) 30°
**06** ① 80°  ② 50°  ③ 130°

**01** $\overline{OA}$와 $\overline{OB}$는 원 O의 반지름이므로 그 길이가 같다.
　　따라서 △AOB는 두 변의 길이가 같으므로
　　이등변삼각형이다.
　　[잠깐만] 원에서 두 반지름을 이용하여 그린 삼각형은 항상 이등변삼
　　각형이다.

**02** $\overline{OA}=\overline{OB}=\overline{AB}$ ➡ △ABO는 이등변삼각형, 정삼각형
　　← 세 변의 길이가 모두 같은 삼각형

**03** △AOB는 이등변삼각형이므로
　　∠OBA=∠OAB=45° → 두 밑각의 크기는 같다.

**04** (1) △ABO는 이등변삼각형이므로
　　　∠$x$=∠OBA=40°
　　　∠$y$=180°−(40°+∠$x$)
　　　　=180°−(40°+40°)=100°
　　(2) △OAB는 이등변삼각형이므로
　　　∠$x$=∠OAB=50°
　　　∠$y$=180°−(50°+∠$x$)
　　　　=180°−(50°+50°)=80°
　　(3) △ABO는 이등변삼각형이므로
　　　∠$x$=∠OBA=38°
　　　∠$y$=180°−(∠$x$+38°)
　　　　=180°−(38°+38°)=104°
　　(4) △OAB는 이등변삼각형이므로
　　　∠$x$=∠OAB=67°
　　　∠$y$=180°−(67°+∠$x$)
　　　　=180°−(67°+67°)=46°

**05** (1) △OAB는 이등변삼각형이므로
　　　∠OBA=∠OAB=55°
　　　➡ ∠$x$=180°−(55°+55°)=70°
　　(2) △AOB는 이등변삼각형이므로
　　　∠OAB=∠OBA=25°
　　　➡ ∠$x$=180°−(25°+25°)=130°
　　(3) △AOB는 이등변삼각형이므로
　　　∠$x$=∠OBA
　　　　=(180°−140°)÷2=20°
　　(4) △ABO는 이등변삼각형이므로
　　　∠$x$=∠OBA
　　　　=(180°−120°)÷2=30°

**06** ① △OAB는 이등변삼각형이므로
　　　∠AOB=180°−(50°+50°)=80°
　　② △OBC는 이등변삼각형이므로
　　　∠BOC=180°−(65°+65°)=50°
　　③ ∠AOC=∠AOB+∠BOC
　　　　=80°+50°=130°

## 29 삼각형이 겹쳐진 경우의 각도 구하기 068~069쪽

**01** 80°, 15°, 80°, 15°, 20°
**02** 15°
**03** (1) 130°  (2) 120°
**04** 60°, 100°, 100°, 50°, 50°, 35°
**05** ① 40°  ② 80°  ③ 35°
**06** ① 50°  ② 105°  ③ 55°

**01** △DBC의 세 내각의 크기의 합은 180°이므로
　　∠DBC+∠DCB=180°−100°=80°
　　△ABC의 세 내각의 크기의 합은 180°이므로
　　65°+∠$x$+∠DBC+∠DCB+15°=180°,
　　65°+∠$x$+80°+15°=180°
　　➡ ∠$x$=20°

**02** △DBC에서
　　∠DBC+∠DCB=180°−105°=75°
　　△ABC에서
　　50°+40°+∠DBC+∠DCB+∠$x$=180°,
　　50°+40°+75°+∠$x$=180°
　　➡ ∠$x$=15°

**03** (1) △ABC에서
　　　65°+35°+∠DBC+∠DCB+30°=180°
　　　➡ ∠DBC+∠DCB=50°
　　　△DBC에서 ∠$x$+∠DBC+∠DCB=180°,
　　　∠$x$+50°=180°
　　　➡ ∠$x$=130°
　　(2) △ABC에서 55°+25°+∠DBC+∠DCB+40°=180°
　　　➡ ∠DBC+∠DCB=60°
　　　△DBC에서 ∠$x$+∠DBC+∠DCB=180°,
　　　∠$x$+60°=180°
　　　➡ ∠$x$=120°

**04** 한 외각의 크기는 그와 이웃하지 않는 두 내각의 크기의 합
　　과 같다.
　　△ABC에서 ∠ACD=60°+40°=100°
　　➡ ∠ECD=∠ACD÷2=100°÷2=50°
　　△EBC에서 ∠ECD=∠$x$+15°
　　➡ 50°=∠$x$+15°, ∠$x$=35°

**05** ① $\triangle$EBC에서 $\angle$ECD$=20°+20°=40°$

② $\angle$ACE$=\angle$ECD이므로

$\angle$ACD$=\angle$ECD$\times2=40°\times2=80°$

③ $\triangle$ABC에서 $\angle$ACD$=\angle$BAC$+45°$

➡ $80°=\angle$BAC$+45°$, $\angle$BAC$=35°$

**06** ① $\triangle$EBC는 이등변삼각형이므로

$\angle$EBC$=25°$, $\angle$ECD$=25°+25°=50°$

② $\triangle$ABC에서 $\angle$ACD$=50°+55°=105°$

③ $\angle$ACE$=\angle$ACD$-\angle$ECD

$=105°-50°=55°$

---

## 30 삼각형의 외심 070~071쪽

**01** ②, ④

**02** 15 / 5

**03** 20° / 140°

**04** (1) 25° (2) 40°

**05** (1) 40° / 100° (2) 15° / 150°

**06** (1) 30° (2) 35°

---

**01** 점 O가 $\triangle$ABC의 외심이므로 $\overline{OA}=\overline{OB}=\overline{OC}$이다.
↳ 외접원의 반지름

➡ $\triangle$OAB, $\triangle$OBC, $\triangle$OAC는 이등변삼각형이다.

② $\overline{AB}$와 $\overline{OC}$의 길이는 같지 않다.

④ $\angle$OAB$=\angle$OBA

잠깐만 삼각형의 외심에서 세 꼭짓점까지의 거리는 모두 같다.

**02** $\overline{OC}=\overline{OB}=5\,$cm ➡ $y=5$

$\triangle$OAB는 이등변삼각형이므로

$\triangle$OAB$=\triangle$OBA$=15°$ ➡ $x=15$

**03** $\triangle$OAC는 이등변삼각형이므로

$\angle x=\angle$OCA$=20°$

➡ $\angle y=180°-(20°+20°)=140°$

**04** (1) $50°+\angle x+15°=90°$, $\angle x+65°=90°$

➡ $\angle x=25°$

(2) $25°+25°+\angle x=90°$, $50°+\angle x=90°$

➡ $\angle x=40°$

**05** (1) $30°+\angle x+20°=90°$, $50°+\angle x=90°$

➡ $\angle x=40°$

$\triangle$OAB에서 $\angle y=180°-(40°+40°)=100°$

(2) $35°+40°+\angle x=90°$, $75°+\angle x=90°$

➡ $\angle x=15°$

$\triangle$OBC에서 $\angle y=180°-(15°+15°)=150°$

**06** (1) $\triangle$OAB는 이등변삼각형이므로

$\angle$OAB$=\angle$OBA$=(180°-100°)\div2=40°$

➡ $40°+20°+\angle x=90°$, $\angle x=30°$

---

(2) $\triangle$OBC는 이등변삼각형이므로

$\angle$OBC$=\angle$OCB

$=(180°-120°)\div2=30°$

➡ $\angle x+30°+25°=90°$, $\angle x=35°$

---

## 31 삼각형의 내심 072~073쪽

**01** (1) × (2) ○ (3) ○ (4) ×

**02** (1) 15° (2) 23°

**03** (1) 40° (2) 25°

**04** (1) 30° / 130° (2) 30° / 115°

**05** (1) 50° (2) 70°

---

**01** 점 I가 $\triangle$ABC의 내심이므로

$\overline{ID}=\overline{IE}=\overline{IF}$ → 내접원의 반지름

$\angle$IAD$=\angle$IAF, $\angle$IBD$=\angle$IBE,

$\angle$ICE$=\angle$ICF

**02** (1) $\angle x=\angle$IBC$=15°$

(2) $\angle x=\angle$IAB$=23°$

**03** (1) $35°+\angle x+15°=90°$, $50°+\angle x=90°$

➡ $\angle x=40°$

(2) $40°+25°+\angle x=90°$, $65°+\angle x=90°$

➡ $\angle x=25°$

**04** (1) $\angle x+20°+40°=90°$, $\angle x+60°=90°$

➡ $\angle x=30°$

$\triangle$IAB에서 $\angle y=180°-(30°+20°)=130°$

(2) $35°+\angle x+25°=90°$, $60°+\angle x=90°$

➡ $\angle x=30°$

$\triangle$IAB에서 $\angle y=180°-(35°+30°)=115°$

잠깐만 먼저 내심의 성질을 이용하여 $\angle x$의 크기를 구한 후 $\angle y$의 크기를 구한다.

**05** (1) 점 I가 $\triangle$ABC의 내심이므로

$\angle$IBA$=\angle$IBC$=30°$, $\angle$ICB$=\angle$ICA$=35°$

➡ $\angle$ABC$=30°+30°=60°$

$\angle$ACB$=35°+35°=70°$

$\triangle$ABC의 세 내각의 크기의 합은 180°이므로

$\angle x=180°-(60°+70°)=50°$

(2) 점 I가 $\triangle$ABC의 내심이므로

$\angle$IAB$=\angle$IAC$=38°$, $\angle$IBA$=\angle$IBC$=17°$

➡ $\angle$BAC$=38°+38°=76°$

$\angle$ABC$=17°+17°=34°$

$\triangle$ABC의 세 내각의 크기의 합은 180°이므로

$\angle x=180°-(76°+34°)=70°$

## 32 실력 확인 TEST
074~076쪽

**01**

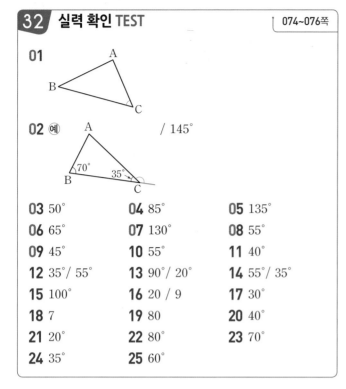

**02** 예

/ 145°

| **03** 50° | **04** 85° | **05** 135° |
|---|---|---|
| **06** 65° | **07** 130° | **08** 55° |
| **09** 45° | **10** 55° | **11** 40° |
| **12** 35°/ 55° | **13** 90°/ 20° | **14** 55°/ 35° |
| **15** 100° | **16** 20 / 9 | **17** 30° |
| **18** 7 | **19** 80 | **20** 40° |
| **21** 20° | **22** 80° | **23** 70° |
| **24** 35° | **25** 60° | |

**02** (∠C의 외각)$=180°-35°=145°$

**03** $∠x=180°-(100°+30°)=50°$

**04** 삼각형의 세 외각의 크기의 합은 360°이므로
$∠x=360°-(130°+145°)=85°$

**05** 삼각형의 세 외각의 크기의 합은 360°이므로
$∠x=360°-110°-(180°-65°)$
$=360°-110°-115°=135°$

**06** $55°+∠x=120° ➡ ∠x=65°$

**07** $∠x=∠A+∠B$
$=90°+40°=130°$

**08** $∠x=(180°-70°)÷2=55°$

**09** △ABC에서 $∠ACB=180°-(65°+50°)=65°$
➡ $∠ECD=∠ACB=65°$(맞꼭지각) → 서로 마주 보는 두 각
△CDE에서 $∠CED=180°-(65°+70°)=45°$

**10** $∠ACB=180°-125°=55°$
△ABC는 이등변삼각형이므로
$∠x=∠ACB=55°$

**11** △ABC는 정삼각형이므로
$∠ACD=180°-60°=120°$ → 정삼각형의 한 외각
△ACD에서 $∠x=180°-(20°+120°)=40°$

**12** △DBC에서 $∠x=180°-(105°+40°)=35°$
△ABC에서 $∠y=180°-(35°+90°)=55°$

**13** $\overline{AD}$는 ∠A를 이등분하므로 $∠x=90°$
△ACD에서 $∠CAD=180°-(90°+70°)=20°$
➡ $∠y=∠CAD=20°$
잠깐만 이등변삼각형에서 꼭지각을 이등분하는 선분은 밑변과 수직으로 만난다.

**14** $\overline{AD}⊥\overline{BC}$이므로 $\overline{AD}$는 ∠A를 이등분한다.
➡ $∠x=∠CAD=55°$
△ABD에서 $∠y=180°-(55°+90°)=35°$

**15** △OAB는 이등변삼각형이므로
$∠OBA=∠OAB=40°$
➡ $∠x=180°-(40°+40°)=100°$

**16** △OBC는 이등변삼각형이므로
$∠OBC=∠OCB=20° ➡ x=20$
$\overline{OA}=\overline{OB}=9$ cm ➡ $y=9$
└→ 외접원의 반지름

**17** $∠x=∠ICB=30°$
잠깐만 삼각형의 내심: 세 내각의 이등분선의 교점

**18** $∠GAC=∠ACB$(엇각)
$∠GAC=∠BAC$(접은 각)
➡ $∠ACB=∠BAC$
따라서 △ABC는 이등변삼각형이므로
$\overline{AB}=\overline{BC}=7$ cm ➡ $x=7$

**19** $∠ACB=∠CBF=50°$(엇각)
$∠ABC=∠CBF=50°$(접은 각)
△ABC에서 $∠BAC=180°-(50°+50°)=80°$
➡ $x=80$

**20** $∠x+35°+15°=90°$, $∠x+50°=90°$
➡ $∠x=40°$

**21** △OAB는 이등변삼각형이므로
$∠OAB=∠OBA$
$=(180°-110°)÷2=35°$
➡ $35°+35°+∠x=90°$, $70°+∠x=90°$, $∠x=20°$

**22** △ABC에서 $∠ACB=180°-(35°+100°)=45°$
△DBC에서 $∠DBC=180°-(55°+70°)=55°$
➡ △EBC에서 $∠x=180°-(45°+55°)=80°$

**23** 점 I가 △ABC의 내심이므로
$∠IAC=∠IAB=20°$, $∠IBA=∠IBC=35°$
➡ $∠BAC=20°+20°=40°$
$∠ABC=35°+35°=70°$
△ABC의 세 내각의 크기의 합은 180°이므로
$∠x=180°-(40°+70°)=70°$

**24** △DBC에서 $∠DBC+∠DCB=180°-125°=55°$
△ABC에서 $65°+∠x+\underline{∠DBC+∠DCB}+25°=180°$,
$65°+∠x+55°+25°=180°$
➡ $∠x=35°$

**25** △EBC에서 $∠ECD=25°+30°=55°$
➡ $∠ACD=∠ECD×2=55°×2=110°$
△ABC에서 $∠ACD=50°+∠ABC$
➡ $110°=50°+∠ABC$, $∠ABC=60°$

## 33 사각형의 내각과 외각    078~079쪽

**01** (1) $60°$    (2) $80°$

**02** (1) $170°$    (2) $145°$

**03** $85°$

**04** (1) $105°$    (2) $65°$

**05** (1) $165°$    (2) $175°$

**06** $75°$

**01** (1) 사각형의 네 내각의 크기의 합은 $360°$이므로
$\angle x = 360° - (140° + 75° + 85°) = 60°$
    (2) 사각형의 네 내각의 크기의 합은 $360°$이므로
$\angle x = 360° - (80° + 135° + 65°) = 80°$

**02** (1) 사각형의 네 내각의 크기의 합은 $360°$이므로
$\angle x + \angle y = 360° - (120° + 70°) = 170°$
    (2) 사각형의 네 내각의 크기의 합은 $360°$이므로
$\angle x + \angle y = 360° - (115° + 100°) = 145°$

**03** $\angle ADC = \overset{\text{평각}}{180°} - 105° = 75°$
사각형 $ABCD$의 네 내각의 크기의 합은 $360°$이므로
$\angle BCD = 360° - (120° + 75° + 80°) = 85°$

**04** (1) 사각형의 네 외각의 크기의 합은 $360°$이므로
$\angle x = 360° - (115° + 45° + 95°) = 105°$
    (2) 사각형의 네 외각의 크기의 합은 $360°$이므로
$\angle x = 360° - (100° + 50° + 145°) = 65°$

**05** (1) 사각형의 네 외각의 크기의 합은 $360°$이므로
$\angle x + \angle y = 360° - (95° + 100°) = 165°$
    (2) 사각형의 네 외각의 크기의 합은 $360°$이므로
$\angle x + \angle y = 360° - (110° + 75°) = 175°$

**06** 사각형의 네 외각의 크기의 합은 $360°$이므로
$70° + 105° + 80° + (\underline{\angle x\text{의 외각}})$
$= 70° + 105° + 80° + (180° - \angle x) = 360°$,
$180° - \angle x = 105°$, $\angle x = 75°$

## 34 평행사변형의 각도 구하기    080~081쪽

**01** ㉡

**02** (1) $110°$ / $70°$    (2) $125°$ / $55°$

**03** (1) $115°$    (2) $55°$

**04** (1) $35$ / $7$    (2) $40$ / $10$

**05** (1) $35°$    (2) $23°$

**06** ① $75°$    ② $105°$    ③ $75°$

**01** 평행사변형에서 대변의 길이는 서로 같으므로
$\overset{\text{마주 보는 변}}{}$
㉠ $\overline{AD} = \overline{BC} = 12\,\text{cm}$
평행사변형에서 대각의 크기는 서로 같으므로
$\overset{\text{마주 보는 각}}{}$
㉡ $\angle A = \angle C = 105°$
㉢ $\angle D = \angle B = 75°$

**02** 평행사변형에서 두 쌍의 대각의 크기는 각각 서로 같다.

**03** (1) $\angle A + \angle x = 180°$에서 $65° + \angle x = 180°$, $\angle x = 115°$
    (2) $\angle B + \angle x = 180°$에서 $125° + \angle x = 180°$, $\angle x = 55°$

   [잠깐만] 평행사변형에서 이웃하는 두 각의 크기의 합은 $180°$이다.

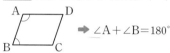

   ➡ $\angle A + \angle B = 180°$

**04** (1) $\overline{AB} /\!/ \overline{DC}$이므로
$\angle BAC = 35°$(엇각) ➡ $x = 35$
$\overline{OD} = 14 \div 2 = 7\,(\text{cm})$ ➡ $y = 7$
    (2) $\overline{AB} /\!/ \overline{DC}$이므로
$\angle CDB = 40°$(엇각) ➡ $x = 40$
$\overline{AC} = 5 \times 2 = 10\,(\text{cm})$ ➡ $y = 10$

**05** (1) $\triangle OCD$에서
$\angle ODC = 180° - (80° + 65°) = 35°$
➡ $\angle x = \angle ODC = 35°$(엇각)
    (2) $\triangle AOD$에서
$\angle ADO = 180° - (42° + 115°) = 23°$
➡ $\angle x = \angle ADO = 23°$(엇각)

**06** ① $\triangle ABO$에서 $\angle AOB = 180° - (60° + 45°) = 75°$
    ② $\angle AOD = 180° - \angle AOB = 180° - 75° = 105°$
    ③ $\triangle AOD$에서
$\angle x + \angle y = 180° - \angle AOD = 180° - 105° = 75°$

## 35 마름모의 각도 구하기    082~083쪽

**01** (1) ○    (2) ○    (3) ×    (4) ○

**02** $115°$ / $65°$

**03** (1) $120°$    (2) $35°$

**04** (1) $7\,\text{cm}$ / $8\,\text{cm}$    (2) $90°$ / $65°$

**05** (1) $40°$ / $40°$    (2) $62°$ / $62°$

**06** $40°$

**01** (3) $\angle B = \angle D = 70°$ → $\angle B$와 $\angle D$는 대각
    (4) $\angle C = \angle A = 110°$ → $\angle A$와 $\angle C$는 대각

   [잠깐만] 마름모에서
① 두 쌍의 대변이 각각 서로 평행하다.
② 두 쌍의 대각의 크기는 각각 서로 같다.

**02** 마름모에서 두 쌍의 대각의 크기는 각각 서로 같다.

**03** (1) $\overline{AB}=\overline{AD}$이므로 △ABD는 이등변삼각형이다.

➡ ∠ADB=∠ABD=30°

$\angle x=180°-(30°+30°)=120°$

(2) $\overline{AB}=\overline{BC}$이므로 △ABC는 이등변삼각형이다.

∠x=∠BAC

$=(180°-110°)÷2=35°$

**04** (1) $\overline{BO}=14÷2=7\,(cm)$

$\overline{AC}=4×2=8\,(cm)$

(2) $\overline{AC}⊥\overline{BD}$이므로 ∠x=90°

△AOD에서

$\angle y=180°-(90°+25°)=65°$

[잠깐만] 마름모에서 두 대각선은 서로 다른 것을 수직이등분한다.

**05** (1) $\overline{AC}⊥\overline{BD}$이므로 ∠BOC=90°

△BCO에서 $\angle x=180°-(90°+50°)=40°$

$\overline{AD}/\!/\overline{BC}$이므로 ∠y=∠x=40°(엇각)

(2) $\overline{AC}⊥\overline{BD}$이므로 ∠AOB=90°

△ABO에서 $\angle x=180°-(28°+90°)=62°$

$\overline{AB}/\!/\overline{DC}$이므로 ∠y=∠x=62°(엇각)

**06** △ABD는 이등변삼각형이므로

∠ADO=∠ABO=25°

△AOD에서 ∠AOD=90°이므로

$\angle x=180°-(90°+25°)=65°$

$\overline{AB}/\!/\overline{DC}$이므로 ∠y=∠ABO=25°(엇각)

➡ $\angle x-\angle y=65°-25°=40°$

---

### 36 직사각형과 정사각형의 각도 구하기
084~085쪽

**01** (1) 3 / 5　(2) 90 / 25

**02** 4 / 90

**03** (1) 35° / 35°, 110°　(2) 55° / 70°

**04** (1) 60°　(2) 50°

**05** 45°

**06** 115°

---

**01** (1) 직사각형에서 대변의 길이는 서로 같다. ➡ $x=3$

직사각형에서 두 대각선은 길이가 서로 같다. ➡ $y=5$

(2) 직사각형에서 네 내각의 크기는 모두 90°로 같다.

➡ $x=90$

△ABC에서

$\angle ACB=180°-(65°+90°)=25°$ ➡ $y=25$

**02** 정사각형에서 두 대각선은 서로 다른 것을 이등분한다.

$\overline{OA}=\overline{OC}=4\,cm$ ➡ $x=4$

정사각형에서 두 대각선은 수직으로 만나므로

∠AOB=90° ➡ $y=90$

---

**03** (1) △OAD는 이등변삼각형이므로

$\angle x=\angle OAD=35°$

➡ $\angle y=180°-(35°+35°)=110°$

(2) △OAB는 이등변삼각형이므로

$\angle x=\angle ABO=55°$

➡ $\angle y=180°-(55°+55°)=70°$

[잠깐만] 직사각형에서 두 대각선은 길이가 같고, 서로 다른 것을 이등분한다.

➡ $\overline{OA}=\overline{OC}=\overline{OB}=\overline{OD}$

$\overline{AC}=\overline{BD}$이므로

△OAB, △OBC, △OCD, △OAD는 이등변삼각형이다.

**04** (1) ∠DOC=180°-120°=60°

△OCD는 이등변삼각형이므로

∠x=∠OCD

$=(180°-60°)÷2=60°$

(2) ∠BOC=∠AOD=80°

△OBC는 이등변삼각형이므로

∠x=∠OBC

$=(180°-80°)÷2=50°$

**05** 정사각형에서 두 대각선은 수직으로 만난다.

➡ ∠AOB=90°

△OAB는 이등변삼각형이므로

∠OAB=∠OBA

$=(180°-90°)÷2=45°$

**06** ∠ABO=90°-25°=65°

△OAB는 이등변삼각형이므로

$\angle x=\angle ABO=65°$

∠AOB=180°-(65°+65°)=50°

➡ $\angle y=\angle AOB=50°$

$\angle x+\angle y=65°+50°=115°$

[다른풀이] ∠ABO=90°-25°=65°

∠AOB=∠y(맞꼭지각)

△ABO에서 ∠x+∠ABO+∠AOB=180°이므로

$\angle x+65°+\angle y=180°$, $\angle x+\angle y=115°$

---

### 37 사다리꼴의 각도 구하기
086~087쪽

**01** (1) 70　(2) 45　(3) 10　(4) 8

**02** 65° / 115° / 115°

**03** (1) 10　(2) 3

**04** (1) 20°　(2) 40°

**05** ① 30°　② 30°　③ 9 cm

---

**01**
(1) 등변사다리꼴에서 아랫변의 양 끝 각의 크기는 서로 같으므로
  $\angle B = \angle C = 70°$ ➡ $x = 70$
(2) $\angle D = \angle A = 45°$ ➡ $x = 45$
(3) 등변사다리꼴에서 평행하지 않은 한 쌍의 대변의 길이는 서로 같으므로
  $\overline{DC} = \overline{AB} = 10\ cm$ ➡ $x = 10$
(4) $\overline{AB} = \overline{DC} = 8\ cm$ ➡ $x = 8$

**02** $\overline{AD} /\!/ \overline{BC}$이므로
$\angle x = 65°$(엇각)
$\angle y = 180° - 65° = 115°$
등변사다리꼴 ABCD에서
$\angle C = \angle B = 65°$이고,
네 내각의 크기의 합은 360°이므로
$\angle z = 360° - (115° + 65° + 65°) = 115°$

**03**
(1) 등변사다리꼴에서 두 대각선의 길이는 서로 같으므로
  $\overline{DB} = \overline{AC} = 3 + 7 = 10\ (cm)$
  ➡ $x = 10$
(2) 등변사다리꼴에서 두 대각선의 길이는 서로 같으므로
  $\overline{AC} = \overline{DB} = 9\ cm$, $\overline{AO} = 9 - 6 = 3\ (cm)$
  ➡ $x = 3$

**04**
(1) △DBC에서 $\angle DBC = 180° - (60° + 70°) = 50°$
  $\angle ABC = \angle C = 70°$
  ➡ $\angle x = 70° - 50° = 20°$
(2) $\angle DCB = \angle B = 75°$
  ➡ $\angle ACB = 75° - 35° = 40°$
  $\overline{AD} /\!/ \overline{BC}$이므로 $\angle x = \angle ACB = 40°$(엇각)

잠깐만 등변사다리꼴에서 아랫변의 양 끝 각의 크기는 서로 같다.

**05** $\overline{AD} /\!/ \overline{BC}$이므로
① $\angle OBC = \angle ADO = 30°$(엇각)
② $\angle OCB = \angle DAO = 30°$(엇각)
③ △OBC에서 $\angle OBC = \angle OCB = 30°$이므로
 △OBC는 이등변삼각형이다.
 $\overline{OB} = \overline{OC} = 9\ cm$
 ↳ 두 밑각의 크기가 같으므로 이등변삼각형이다.

**02**
① △DCE는 이등변삼각형이므로
 $\angle CDE = \angle CED = 75°$
 △DCE에서 $\angle BCD = 75° + 75° = 150°$
② 평행사변형 ABCD에서
 대각의 크기는 서로 같으므로
 $\angle A = \angle BCD = 150°$

다른풀이 △DCE는 이등변삼각형이므로
 $\angle CDE = \angle CED = 75°$
 ➡ $\angle BCD = 75° + 75° = 150°$ ↳한 외각의 크기는 그와 이웃하지 않는 두 내각의 크기의 합과 같다.
 평행사변형 ABCD에서 $\angle A = \angle BCD = 150°$

**03**
① $\overline{ED} = \overline{AD}$이고,
 정사각형 ABCD에서 $\overline{AD} = \overline{DC}$이므로
 $\overline{ED} = \overline{DC}$이다.
 ➡ △ECD는 이등변삼각형이다.
 $\angle DEC = \angle DCE = 30°$
② $\angle EDC = 180° - (30° + 30°) = 120°$
③ $\angle ADC = 90°$이므로
 $\angle EDA = 120° - 90° = 30°$

**04** 정사각형 ABCD의 네 변의 길이는 모두 같으므로
$\overline{BC} = \overline{DC}$ ➡ △DBC는 이등변삼각형

**05**
① △ABC는 이등변삼각형이므로
 $\angle ABC = \angle BAC$
  $= (180° - 50°) \div 2 = 65°$
② □ABCD는 등변사다리꼴이므로
 $\angle DCB = \angle ABC = 65°$
③ $\angle ACD = \angle DCB - \angle ACB$
  $= 65° - 50° = 15°$

**06**
① 평행사변형 ABCD에서
 이웃하는 두 각의 크기의 합은 180°이므로
 $\angle BAD = 180° - 80° = 100°$
 ➡ $\angle DAF = 100° \div 2 = 50°$
② 평행사변형 ABCD에서
 대각의 크기는 서로 같으므로
 $\angle D = \angle B = 80°$
③ △AED에서 $\angle AED = 180° - (50° + 80°) = 50°$

---

**38** 사각형과 삼각형의 성질을 이용하여 각도 구하기 [088~089쪽]

**01** 60°, 60°, 60°
**02** ① 150° ② 150°
**03** ① 30° ② 120° ③ 30°
**04** 이등변, 45°, 이등변, 45°
**05** ① 65° ② 65° ③ 15°
**06** ① 50° ② 80° ③ 50°

**39** 실력 확인 TEST [090~092쪽]

| **01** 85° | **02** 75° | **03** 65° |
| **04** 105° | **05** 115° / 65° | **06** 45° / 135° |
| **07** 50° | **08** 115° | **09** 85° |
| **10** 65° | **11** 40° | **12** 70 / 9 |
| **13** 90° / 55° | **14** 8 / 90 | **15** 4 cm |

**16** 20°     **17** 20°     **18** 70°
**19** 55°     **20** 65°     **21** 75°
**22** 125°    **23** 110°    **24** 65°
**25** 30°

**01** 사각형의 네 내각의 크기의 합은 360°이므로
$\angle x = 360° - (70° + 140° + 65°) = 85°$

**02** 사각형의 네 내각의 크기의 합은 360°이므로
$\angle x = 360° - (135° + 60° + 90°) = 75°$

**03** 사각형의 네 외각의 크기의 합은 360°이므로
$\angle x = 360° - (95° + 80° + 120°) = 65°$

**04** 사각형의 네 외각의 크기의 합은 360°이므로
$\angle x = 360° - (90° + 110° + 55°) = 105°$

**05** 평행사변형에서 두 쌍의 대각의 크기는 서로 같다.

**06** 마름모에서 두 쌍의 대각의 크기는 서로 같다.

**07** 등변사다리꼴에서 아랫변의 양 끝 각의 크기는 서로 같으므로
$\angle B = \angle C = 50°$

**08** 평행사변형에서 이웃하는 두 각의 크기의 합은 180°이다.
$\angle C + \angle D = 65° + \angle D = 180°$
➡ $\angle D = 115°$

**09** $\angle A + 85° + (180° - 100°) + 110° = 360°$,
$\angle A + 85° + 80° + 110° = 360°$, $\angle A = 85°$

**10** $\overline{AD} = \overline{DC}$이므로 △ACD는 이등변삼각형이다.
$\angle CAD = \angle ACD$
$= (180° - 50°) \div 2 = 65°$

**11** $\angle D = 90°$이므로
△ACD에서 $\angle ACD = 180° - (50° + 90°) = 40°$

**12** $\angle C = \angle A = 130°$이므로
$\angle ACD = 130° - 60° = 70°$ ➡ $x = 70$
$\overline{BO} = 18 \div 2 = 9 \,(cm)$ ➡ $y = 9$

**13** $\overline{AC} \perp \overline{BD}$이므로 $\angle x = 90°$
△AOD에서 $\angle y = 180° - (90° + 35°) = 55°$

**14** 정사각형에서 한 대각선이 다른 대각선을 이등분한다.
➡ $x = 8$
정사각형에서 두 대각선은 수직으로 만난다. ➡ $y = 90$

**15** 등변사다리꼴에서 두 대각선의 길이는 서로 같으므로
$\overline{AC} = \overline{DB} = 7 \,cm$
➡ $\overline{OC} = 7 - 3 = 4 \,(cm)$

**16** △AOD에서 $\angle OAD = 180° - (115° + 45°) = 20°$
$\overline{AD} /\!/ \overline{BC}$이므로
$\angle OCB = \angle OAD = 20°$(엇각)

**17** 직사각형에서 두 대각선은 길이가 같고,
서로 다른 것을 이등분하므로 $\overline{AO} = \overline{DO}$
➡ △AOD는 이등변삼각형이다.
$\angle x = (180° - 140°) \div 2 = 20°$

**18** 사각형의 네 외각의 크기의 합은 360°이므로
$95° + 80° + (\angle C의 외각) + 75°$
$= 95° + 80° + (180° - \angle C) + 75° = 360°$,
$180° - \angle C = 110°$, $\angle C = 70°$

**19** $\underbrace{\angle ABC = \angle C}_{\text{아랫변의 양 끝 각}} = 80°$
➡ $\angle DBC = 80° - 25° = 55°$
$\overline{AD} /\!/ \overline{BC}$이므로
$\angle x = \angle DBC = 55°$(엇각)

**20** $\overline{AC} \perp \overline{BD}$이므로 $\angle BOC = 90°$
△BCO에서 $\angle BCO = 180° - (25° + 90°) = 65°$
$\overline{AD} /\!/ \overline{BC}$이므로
$\angle x = \angle BCO = 65°$(엇각)

**21** △OBC에서 $\angle BOC = 180° - (30° + 75°) = 75°$
➡ $\angle DOC = 180° - 75° = 105°$
△DOC에서 $\angle x + \angle y = 180° - 105° = 75°$

**22** $\angle OCD = 90° - 35° = 55°$
△DOC는 이등변삼각형이므로 ($\overline{OD} = \overline{OC}$)
$\angle y = \angle OCD = 55°$
△DOC에서 $\angle DOC = 180° - (55° + 55°) = 70°$
➡ $\angle x = \angle DOC = 70°$
$\angle x + \angle y = 70° + 55° = 125°$

**23** △DCE는 이등변삼각형이므로
$\angle EDC = \angle DEC$
$= (180° - 40°) \div 2 = 70°$
➡ $\angle ADC = 180° - 70° = 110°$
평행사변형에서 대각의 크기는 서로 같으므로
$\angle ABC = \angle ADC = 110°$

**24** △EBC는 이등변삼각형이므로
$\angle GCB = \angle FBC$
$= (180° - 50°) \div 2 = 65°$
$\overline{AD} /\!/ \overline{BC}$이므로
$\angle DGC = \angle GCB = 65°$(엇각)

**25** △ABC는 이등변삼각형이므로
$\angle ABC = \angle BAC = 70°$,
$\angle ACB = 180° - (70° + 70°) = 40°$
□ABCD는 등변사다리꼴이므로
$\angle DCB = \angle ABC = 70°$
➡ $\angle ACD = \angle DCB - \angle ACB$
$= 70° - 40° = 30°$

## 40 다각형의 내각    094~095쪽

**01** (1) 7, 900°    (2) 9, 1260°
**02** (1) 1080°    (2) 1800°
**03** (1) 육각형    (2) 십각형
**04** (1) 100°    (2) 105°
**05** (1) 60°, 120° / 95°    (2) 95° / 115°
**06** (1) 125°    (2) 100°

**01** (1)

(칠각형의 내각의 크기의 합)
$$=180° \times 5 = 900°$$

(2)

(구각형의 내각의 크기의 합)
$$=180° \times 7 = 1260°$$

**02** (1) (팔각형의 내각의 크기의 합)
$$=180° \times (8-2) = 180° \times 6 = 1080°$$
(2) (십이각형의 내각의 크기의 합)
$$=180° \times (12-2) = 180° \times 10 = 1800°$$

> **잠깐만** ($n$각형의 내각의 크기의 합)$=180° \times (n-2)$

**03** (1) 구하려는 다각형을 $n$각형이라 하면
($n$각형의 내각의 크기의 합)$=180° \times (n-2)=720°$,
$n-2=4$, $n=6$
➡ 육각형
(2) 구하려는 다각형을 $n$각형이라 하면
($n$각형의 내각의 크기의 합)$=180° \times (n-2)=1440°$,
$n-2=8$, $n=10$
➡ 십각형

**04** (1) (오각형의 내각의 크기의 합)
$$=180° \times (5-2) = 180° \times 3 = 540°$$
➡ $\angle x = 540° - (140° + 100° + 105° + 95°)$
$$=100°$$
(2) (육각형의 내각의 크기의 합)
$$=180° \times (6-2) = 180° \times 4 = 720°$$
➡ $\angle x = 720° - (120° + 105° + 95° + 155° + 140°)$
$$=105°$$

**05** (1) $\angle x = 180° - 60° = 120°$
(오각형의 내각의 크기의 합)
$$=180° \times (5-2) = 180° \times 3 = 540°$$

➡ $\angle y = 540° - (135° + 120° + 120° + 70°)$
$$=95°$$
(2) $\angle x = 180° - 85° = 95°$
(육각형의 내각의 크기의 합)
$$=180° \times (6-2) = 180° \times 4 = 720°$$
➡ $\angle y = 720° - (135° + 115° + 120° + 95° + 140°)$
$$=115°$$

**06** (1) (육각형의 내각의 크기의 합)
$$=180° \times (6-2) = 180° \times 4 = 720°$$
➡ $\angle x = 720° - 140° - 100° - (180° - 60°) - 80° - 155°$
$$=720° - 140° - 100° - 120° - 80° - 155°$$
$$=125°$$
(2) (오각형의 내각의 크기의 합)
$$=180° \times (5-2) = 180° \times 3 = 540°$$
➡ $\angle x = 540° - 75° - 120° - (180° - 70°) - 135°$
$$=540° - 75° - 120° - 110° - 135°$$
$$=100°$$

## 41 다각형의 외각    096~097쪽

**01** (1) ① 6, 1080°   ② 4, 720°   ③ 1080°, 720°, 360°
     (2) ① 8, 1440°   ② 6, 1080°
        ③ 1440°, 1080°, 360°
**02** (1) 360°   (2) 360°   (3) 360°   (4) 360°
**03** (1) 45°   (2) 40°
**04** (1) 135°, 45° / 75°   (2) 80° / 50°
**05** (1) 80°   (2) 75°

**01** (1) ① (내각의 크기의 합) + (외각의 크기의 합)
$$=180° \times (꼭짓점의 수)$$
$$=180° \times 6 = 1080°$$
② (내각의 크기의 합)
$$=180° \times (6-2) = 180° \times 4 = 720°$$
③ (외각의 크기의 합)
$$=1080° - 720° = 360°$$
(2) ① (내각의 크기의 합) + (외각의 크기의 합)
$$=180° \times (꼭짓점의 수)$$
$$=180° \times 8 = 1440°$$
② (내각의 크기의 합)
$$=180° \times (8-2) = 180° \times 6 = 1080°$$
③ (외각의 크기의 합)
$$=1440° - 1080° = 360°$$

> **잠깐만** 다각형의 외각의 크기의 합은 항상 360°이다.

**02** 다각형의 외각의 크기의 합은 항상 360°이다.

**03** (1) 오각형의 외각의 크기의 합은 360°이므로

$\angle x = 360° - (80° + 100° + 85° + 50°)$
$\quad = 45°$

(2) 육각형의 외각의 크기의 합은 360°이므로

$\angle x = 360° - (60° + 45° + 60° + 70° + 85°)$
$\quad = 40°$

**04** (1) $\angle x = \underset{\text{평각}}{180°} - 135° = 45°$

육각형의 외각의 크기의 합은 360°이므로

$\angle y = 360° - (80° + 70° + 50° + 40° + 45°)$
$\quad = 75°$

(2) $\angle x = 180° - 100° = 80°$

오각형의 외각의 크기의 합은 360°이므로

$\angle y = 360° - (105° + 60° + 65° + 80°)$
$\quad = 50°$

**05** (1) 오각형의 외각의 크기의 합은 360°이므로

$\angle x = 360° - 50° - 75° - (180° - 110°) - 85°$
$\quad = 80°$

(2) 육각형의 외각의 크기의 합은 360°이므로

$\angle x = 360° - 60° - 50° - 45° - (180° - 100°)$
$\quad\quad\quad - (180° - 130°)$
$\quad = 75°$

---

### 42 정다각형의 각도 구하기  | 098~099쪽

**01** (1) ① 4, 720°  ② 720°, 6, 120°

(2) ① 6, 1080°  ② 1080°, 8, 135°

(3) ① 8, 1440°  ② 1440°, 10, 144°

**02** (1) 140°  (2) 150°  (3) 160°  (4) 156°

**03** (1) 360°, 9, 40°  (2) 360°, 10, 36°

**04** (1) 정십오각형  (2) 정육각형  (3) 정십이각형
(4) 정십팔각형

**05** 180°, 8, 정팔각형, 8, 45°

---

**01** (1) ① (내각의 크기의 합)$= 180° \times (\underset{\text{꼭짓점의 수}}{6} - 2)$
$\quad\quad\quad\quad\quad\quad\quad\quad = 180° \times 4 = 720°$

② (한 내각의 크기)$= \dfrac{720°}{\underset{\text{내각의 수}}{6}} = 120°$

(2) ① (내각의 크기의 합)$= 180° \times (8 - 2)$
$\quad\quad\quad\quad\quad\quad\quad\quad = 180° \times 6 = 1080°$

② (한 내각의 크기)$= \dfrac{1080°}{8} = 135°$

(3) ① (내각의 크기의 합)$= 180° \times (10 - 2)$
$\quad\quad\quad\quad\quad\quad\quad\quad = 180° \times 8 = 1440°$

② (한 내각의 크기)$= \dfrac{1440°}{10} = 144°$

**02** (1) (한 내각의 크기)

$= \dfrac{180° \times (9 - 2)}{9} = \dfrac{1260°}{9} = 140°$
$\qquad\qquad\qquad\qquad \underset{\text{(내각의 수)}}{\overset{\text{(내각의 크기의 합)}}{\longrightarrow}}$

(2) (한 내각의 크기)

$= \dfrac{180° \times (12 - 2)}{12} = \dfrac{1800°}{12} = 150°$

(3) (한 내각의 크기)

$= \dfrac{180° \times (18 - 2)}{18} = \dfrac{2880°}{18} = 160°$

(4) (한 내각의 크기)

$= \dfrac{180° \times (15 - 2)}{15} = \dfrac{2340°}{15} = 156°$

**03** (1) 정구각형의 외각의 크기의 합은 360°이고,
외각 9개의 크기는 모두 같으므로

(한 외각의 크기)$= \dfrac{360°}{9} = 40°$

(2) 정십각형의 외각의 크기의 합은 360°이고,
외각 10개의 크기는 모두 같으므로

(한 외각의 크기)$= \dfrac{360°}{10} = 36°$

**잠깐만** (정$n$각형의 한 외각의 크기)$= \dfrac{360°}{n}$

**04** (1) 조건을 만족하는 정다각형을 정$n$각형이라 하면

(한 외각의 크기)$= \dfrac{360°}{n} = 24°$, $n = 15$

따라서 한 외각의 크기가 24°인 정다각형은 정십오각형
이다.

(2) 조건을 만족하는 정다각형을 정$n$각형이라 하면

(한 외각의 크기)$= \dfrac{360°}{n} = 60°$, $n = 6$

따라서 한 외각의 크기가 60°인 정다각형은 정육각형이다.

(3) 조건을 만족하는 정다각형을 정$n$각형이라 하면

(한 외각의 크기)$= \dfrac{360°}{n} = 30°$, $n = 12$

따라서 한 외각의 크기가 30°인 정다각형은 정십이각형
이다.

(4) 조건을 만족하는 정다각형을 정$n$각형이라 하면

(한 외각의 크기)$= \dfrac{360°}{n} = 20°$, $n = 18$

따라서 한 외각의 크기가 20°인 정다각형은 정십팔각형
이다.

---

### 43 원의 중심각 구하기 (1)  | 100~101쪽

**01** (1) 10, 20, 10, 10  (2) 3, 7, 7, 84, 12

**02** $\overparen{AB}$, 중심각, 부채꼴 AOB

**03** (1) 7  (2) 70  (3) 50, 16  (4) 3, 9, 120

**04** (1) 12 / 40  (2) 4 / 45

**01**
(1) (외항의 곱)=■×10
(내항의 곱)=5×20

➡ ■×10=5×20, ■×10=100, ■=10
외항의 곱 ↖      ↗ 내항의 곱

(2) (외항의 곱)=28×3
(내항의 곱)=■×7

➡ 28×3=■×7, ■×7=84, ■=12
외항의 곱 ↖      ↗ 내항의 곱

**02**
• 원 위의 두 점 A, B를 양 끝 점으로 하는 원의 일부분
➡ 호 AB ➡ $\overarc{AB}$

• 부채꼴에서 두 반지름이 이루는 각 ➡ 중심각

• 원 O에서 두 반지름 OA, OB와 호 AB로 이루어진 도형
➡ 부채꼴 AOB

**03**
(1) 중심각의 크기가 35°로 같으므로 호의 길이가 같다.
➡ $x=7$

(2) 호의 길이가 9 cm로 같으므로 중심각의 크기가 같다.
➡ $x=70$

(3) 25 : 50=8 : $x$
➡ 25×$x$=50×8, 25×$x$=400, $x$=16
외항의 곱 ↖      ↗ 내항의 곱

(4) 40 : $x$=3 : 9
➡ 40×9=$x$×3, $x$×3=360, $x$=120
외항의 곱 ↖      ↗ 내항의 곱

**04**
(1) • 20 : 60=4 : $x$
➡ 20×$x$=60×4, 20×$x$=240, $x$=12

• 20 : $y$=4 : 8 ➡ 20×8=$y$×4, $y$×4=160, $y$=40

(2) • 90 : 30=12 : $x$
➡ 90×$x$=30×12, 90×$x$=360, $x$=4

• 90 : $y$=12 : 6
➡ 90×6=$y$×12, $y$×12=540, $y$=45

---

**44 원의 중심각 구하기 (2)** | 102~103쪽

**01** (1) 4  (2) 11  (3) 55  (4) 40
**02** 135°
**03** 15°, 15°, 15°, 15°, 150°, 150, 20 cm
**04** ① 130°  ② 26 cm
**05** ① 100°  ② 80°  ③ 5 cm

**01**
(1) 중심각의 크기가 60°로 같으므로 현의 길이가 같다.
➡ $x=4$

(2) 중심각의 크기가 75°로 같으므로 현의 길이가 같다.
➡ $x=11$

(3) 현의 길이가 9 cm로 같으므로 중심각의 크기가 같다.
➡ $x=55$

(4) 현의 길이가 6 cm로 같으므로 중심각의 크기가 같다.
➡ $x=40$

---

**02**
$\overline{AB}=\overline{BC}=\overline{CD}=\overline{EF}$이므로 현의 길이가 모두 같다.
➡ ∠AOB=∠BOC=∠COD=∠EOF=45°
∠$x$=45°×3=135°

**03** $\overarc{AC}$ : 2=150 : 15
➡ $\overarc{AC}$×15=2×150, $\overarc{AC}$×15=300, $\overarc{AC}$=20 cm

**04**
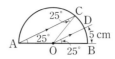

① $\overline{AC}$∥$\overline{OD}$이므로 ∠CAO=∠DOB=25°(동위각)
$\overline{OC}$를 그으면 △AOC는 이등변삼각형이므로
∠AOC=180°−(25°+25°)=130°

② $\overarc{AC}$ : 5=130 : 25
➡ $\overarc{AC}$×25=5×130, $\overarc{AC}$×25=650,
$\overarc{AC}$=26 cm

**05** ① $\overline{OA}=\overline{OC}$이므로 △AOC는 이등변삼각형이다.
∠AOC=180°−(40°+40°)=100°

② ∠COB=180°−100°=80°

③ $\overarc{AC}$ : 4=100 : 80
➡ $\overarc{AC}$×80=4×100, $\overarc{AC}$×80=400,
$\overarc{AC}$=5 cm

---

**45 실력 확인 TEST** | 104~106쪽

**01** 8, 1080°
**02** ① 5, 900°  ② 3, 540°  ③ 900°, 540°, 360°
**03** 1260°   **04** 1440°   **05** 2520°
**06** 360°    **07** 360°    **08** 360°
**09** ⓒ      **10** ① 4, 720°  ② 720°, 120°
**11** 135°    **12** 162°    **13** 정십각형
**14** 정팔각형 **15** 정삼각형 **16** 105°
**17** 9       **18** 110     **19** 8
**20** 75      **21** 85°     **22** 70°
**23** 190°    **24** 칠각형  **25** 구각형
**26** 9 / 80  **27** 135°    **28** 75°
**29** 40°     **30** 16 cm

**02**
① (내각의 크기의 합)+(외각의 크기의 합)
=180°×(꼭짓점의 수)
=180°×5=900°

② (내각의 크기의 합)
=180°×(5−2)=180°×3=540°

③ (외각의 크기의 합)=900°−540°=360°

**03** (구각형의 내각의 크기의 합)
$= 180° \times (9-2) = 180° \times 7 = 1260°$

**04** (십각형의 내각의 크기의 합)
$= 180° \times (10-2) = 180° \times 8 = 1440°$

**05** (십육각형의 내각의 크기의 합)
$= 180° \times (16-2) = 180° \times 14 = 2520°$

**06** 다각형의 외각의 크기의 합은 항상 360°이다.

**09** ㉠ 부채꼴 AOB
㉡ $\overarc{AB}$
㉢ 중심각

**10** ① (내각의 크기의 합)
$= 180° \times (6-2) = 180° \times 4 = 720°$
② (한 내각의 크기) $= \dfrac{720°}{6} = 120°$

**11** (한 내각의 크기)
$= \dfrac{180° \times (8-2)}{8} = \dfrac{1080°}{8} = 135°$

**12** (한 내각의 크기)
$= \dfrac{180° \times (20-2)}{20} = \dfrac{3240°}{20} = 162°$

**13** 조건을 만족하는 정다각형을 정$n$각형이라 하면
(한 외각의 크기) $= \dfrac{360°}{n} = 36°$, $n = 10$
따라서 한 외각의 크기가 36°인 정다각형은 정십각형이다.
[잠깐만] 정다각형에서 외각의 크기는 모두 같다.

**14** 조건을 만족하는 정다각형을 정$n$각형이라 하면
(한 외각의 크기) $= \dfrac{360°}{n} = 45°$, $n = 8$
따라서 한 외각의 크기가 45°인 정다각형은 정팔각형이다.

**15** 조건을 만족하는 정다각형을 정$n$각형이라 하면
(한 외각의 크기) $= \dfrac{360°}{n} = 120°$, $n = 3$
따라서 한 외각의 크기가 120°인 정다각형은 정삼각형이다.

**16** (오각형의 내각의 크기의 합)
$= 180° \times (5-2) = 180° \times 3 = 540°$
➡ $\angle x = 540° - (125° + 95° + 95° + 120°)$
$= 105°$

**17** 중심각의 크기가 45°로 같으므로 호의 길이가 같다.
➡ $x = 9$

**18** $x : 55 = 10 : 5$
➡ $x \times 5 = 55 \times 10$, $x \times 5 = 550$, $x = 110$

**19** 중심각의 크기가 50°로 같으므로 현의 길이가 같다.
➡ $x = 8$

**20** 현의 길이가 13 cm로 같으므로 중심각의 크기가 같다.
➡ $x = 75$

**21** 오각형의 외각의 크기의 합은 360°이므로
$\angle x = 360° - (85° + 50° + 75° + 65°)$
$= 85°$

**22** 육각형의 외각의 크기의 합은 360°이므로
$\angle x = 360° - (65° + 50° + 45° + 45° + 85°)$
$= 70°$

**23** (오각형의 내각의 크기의 합)
$= 180° \times (5-2) = 180° \times 3 = 540°$
➡ $120° + 135° + \angle x + 95° + \angle y = 540°$,
$\angle x + \angle y = 190°$

**24** 구하려는 다각형을 $n$각형이라 하면
($n$각형의 내각의 크기의 합)
$= 180° \times (n-2) = 900°$,
$n - 2 = 5$, $n = 7$
➡ 칠각형

**25** 구하려는 다각형을 $n$각형이라 하면
($n$각형의 내각의 크기의 합)
$= 180° \times (n-2) = 1260°$,
$n - 2 = 7$, $n = 9$
➡ 구각형

**26** • $20 : 60 = 3 : x$
➡ $20 \times x = 60 \times 3$, $20 \times x = 180$, $x = 9$
• $20 : y = 3 : 12$
➡ $20 \times 12 = y \times 3$, $y \times 3 = 240$, $y = 80$

**27** (육각형의 내각의 크기의 합)
$= 180° \times (6-2) = 180° \times 4 = 720°$
➡ $\angle x = 720° - 120° - 105° - (180° - 45°) - 85° - 140°$
$= 135°$

**28** 오각형의 외각의 크기의 합은 360°이므로
$\angle x = 360° - 45° - 70° - (180° - 105°) - 95°$
$= 75°$

**29** 조건을 만족하는 정다각형을 정$n$각형이라 하면
(내각과 외각의 크기의 총합) = $\boxed{180°} \times n = 1620°$, $n = 9$
└▸ 한 꼭짓점에서 내각과 외각의 합
➡ 정구각형
(정구각형의 한 외각의 크기) $= \dfrac{360°}{9} = 40°$

**30**

$\overline{AC} \parallel \overline{OD}$이므로
$\angle CAO = \angle DOB = 30°$(동위각)
$\overline{OC}$를 그으면 $\triangle AOC$는 이등변삼각형이므로
$\angle AOC = 180° - (30° + 30°) = 120°$
$\overarc{AC} : 4 = 120 : 30$
➡ $\overarc{AC} \times 30 = 4 \times 120$, $\overarc{AC} \times 30 = 480$, $\overarc{AC} = 16$ cm

**46** 성취도 확인 평가 1회 108~110쪽

**01** $\overline{AB}(=\overline{BA})$  **02**

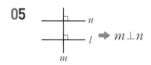

**03** 80° **04** 75°/105° **05** ⊥
**06** ㉤, ㉡, ㉢ **07** 65° **08** 135°/45°
**09** 1080° **10** 360° **11** ∠A, $\overline{AC}$, $\overline{BC}$
**12** 80° **13** 35° **14** 55°/65°
**15** 35/7 **16** 70° **17** 105
**18** 190° **19** 85° **20** 65°
**21** 150° **22** 65° **23** 10
**24** 15° **25** 60°

**01** 점 A와 점 B를 이은 선분이다.
➡ (선분 AB)=$\overline{AB}=\overline{BA}$

**03** 사각형의 네 내각의 크기의 합은 360°이므로
∠$x$=360°−(65°+130°+85°)
  =80°

**04** 맞꼭지각의 크기는 서로 같으므로 ∠$x$=75°
(평각)=180°이므로
∠$y$=180°−75°=105°

**05**

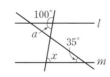

➡ $m⊥n$

**07** 이등변삼각형은 두 밑각의 크기가 서로 같으므로
∠$x$=(180°−50°)÷2=65°

**08** 평행사변형에서 두 쌍의 대각의 크기는 서로 같다.
➡ ∠$x$=135°, ∠$y$=45°

**09** (팔각형의 내각의 크기의 합)
=180°×(8−2)=180°×6=1080°
  └→(꼭짓점의 수)−2

**10** 다각형의 외각의 크기의 합은 항상 360°이다.

**12** ∠$a$=180°−100°=80°이므로
∠$x$=∠$a$=80°(엇각)

**13** △ACD는 정삼각형이므로 ∠ACB=120°
△ABC에서 ∠$x$=180°−(25°+120°)=35°
<잠깐만> 정삼각형의 한 내각의 크기는 60°이다.
➡ (정삼각형의 한 외각의 크기)=180°−60°=120°

**14** $l // m$이므로 엇각의 크기는 서로 같다.
➡ ∠$x$=55°
∠$y$=180°−∠$x$−60°
  =180°−55°−60°=65°

**15** $\overline{OA}=\overline{OC}$이므로 △OAC는 이등변삼각형이다.
∠OAC=∠OCA=35° ➡ $x$=35
$\overline{OB}=\overline{OA}$=7 cm ➡ $y$=7

**16** $\overline{BC}=\overline{DC}$이므로 △BCD는 이등변삼각형이다.
∠CBD=∠CDB
   =(180°−40°)÷2=70°

**17** 35 : $x$=2 : 6
➡ 35×6=$x$×2, $x$×2=210, $x$=105

**18** ∠$y$=180°−90°−40°=50°
∠$x$=∠$y$+90°
  =50°+90°=140°(맞꼭지각)
➡ ∠$x$+∠$y$=140°+50°=190°

**19** ∠C=∠G=95°
□ABCD의 네 내각의 크기의 합은 360°이므로
∠D=360°−(80°+100°+95°)=85°

**20** △ABO에서
∠BAO=180°−(55°+60°)=65°
$\overline{AB} // \overline{DC}$이므로
∠$x$=∠BAO=65°(엇각)

**21** (육각형의 내각의 크기의 합)
=180°×(6−2)=180°×4=720°
➡ ∠$x$=720°−115°−80°−(180°−50°)−85°−160°
  =150°

**22** 직선 $l$과 직선 $m$에 평행하도록 보조
선을 그으면

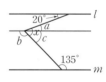

∠$a$=20°(엇각), ∠$b$=135°(엇각)
∠$c$=180°−∠$b$
  =180°−135°=45°
➡ ∠$x$=∠$a$+∠$c$=20°+45°=65°

**23** ∠GAC=∠ACB(엇각)
∠GAC=∠BAC(접은 각)
➡ ∠ACB=∠BAC
△ABC는 이등변삼각형이므로
$\overline{BC}=\overline{BA}$=10 cm ➡ $x$=10

**24** △DBC는 $\overline{BD}=\overline{BC}$인 이등변삼각형이므로
∠DCB=∠CDB=65°, ∠DBC=180°−(65°+65°)=50°
□ABCD는 등변사다리꼴이므로
∠ABC=∠DCB=65°
➡ ∠ABD=65°−50°=15°

**25** 점 I가 △ABC의 내심이므로
∠IAC=∠IAB=25°, ∠ABI=∠IBC=35°
➡ ∠BAC=25°+25°=50°, ∠ABC=35°+35°=70°
△ABC의 세 내각의 크기의 합은 180°이므로
∠$x$=180°−(50°+70°)=60°

## 47 성취도 확인 평가 2회 111~113쪽

| | | |
|---|---|---|
| **01** 3개 | **02** $\angle e$ / $\angle f$ | **03** 10 cm |
| **04** ⊥ | **05** 50° | **06** ⓛ |
| **07** EFD, ASA | **08** 65° | **09** 145° |
| **10** 65° | **11** 50° | **12** 9 / 90 |
| **13** 1260° | **14** 70° | **15** 60° |
| **16** 정십이각형 | **17** 110° | **18** 20° |
| **19** 108° | **20** 35° | **21** 4 / 60 |
| **22** 3 cm | **23** 35° | **24** 40° |
| **25** 50° | | |

**01** 선과 선이 만나서 생기는 점을 교점이라고 한다.

 ➡ 3개

**02** $\angle a$와 같은 위치의 각: $\angle e$

$\angle d$와 엇갈린 위치의 각: $\angle f$

**03** $\angle$B의 대변은 $\overline{AC}$이다.
└→ 마주 보는 변

➡ $\overline{AC}=10$ cm

**04** $\overline{BF}$와 $\overline{HD}$의 교각이 직각이므로

$\overline{BF}$와 $\overline{HD}$는 서로 수직이다.

➡ $\overline{BF}⊥\overline{HD}$

**05** 삼각형의 세 내각의 크기의 합은 180°이므로

$\angle x=180°-(85°+45°)=50°$

**06** ㉠

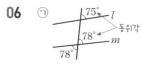

동위각의 크기가 다르므로 평행하지 않다.

ⓛ

엇각의 크기가 같으므로 평행하다.

**07** 한 쌍의 대응변의 길이가 같고, 그 양 끝 각의 크기가 각각 같으므로 ASA 합동이다.

**08** 사각형의 네 외각의 크기의 합은 360°이므로

$\angle x=360°-(125°+100°+70°)=65°$

**09** $\angle x=\angle A+\angle C$

$=55°+90°=145°$

[잠깐만] 삼각형에서
(한 외각의 크기)=(그와 이웃하지 않는 두 내각의 크기의 합)

**10** 등변사다리꼴에서 아랫변의 양 끝 각의 크기는 서로 같으므로

$\angle B=\angle C=65°$

**11** 직사각형에서 네 내각은 크기가 90°로 모두 같다.

➡ $\angle D=90°$

△ACD에서 $\angle x=180°-(40°+90°)=50°$

**12** 정사각형에서 한 대각선이 다른 대각선을 이등분한다.

➡ $x=9$

정사각형에서 두 대각선이 수직으로 만난다. ➡ $y=90$

**13** (구각형의 내각의 크기의 합)

$=180°×(9-2)=180°×7=1260°$

**14** $\angle ACB=180°-110°=70°$

△ABC는 이등변삼각형이므로

$\angle x=\angle ACB=70°$

**15** $\angle AOF=\angle EOB=30°$(맞꼭지각)

$\angle AOD=90°$이므로 $\angle FOD=90°-30°=60°$

**16** 조건을 만족하는 정다각형을 정$n$각형이라 하면

(한 외각의 크기)$=\dfrac{360°}{n}=30°$, $n=12$

따라서 한 외각의 크기가 30°인 정다각형은 정십이각형이다.

**17** △OAB는 이등변삼각형이므로
└→ $\overline{OA}=\overline{OB}$(원의 반지름)
$\angle OBA=\angle OAB=35°$

➡ $\angle x=180°-(35°+35°)=110°$

**18** $\angle a$의 동위각의 크기는 80°이다.

$\angle b$의 엇각은 $\angle c$이다.

$\angle c=180°-120°=60°$

➡ $80°-60°=20°$

**19** (한 내각의 크기)

$=\dfrac{180°×(5-2)}{5}=\dfrac{540°}{5}=108°$

**20** $\angle x+20°+35°=90°$, $\angle x=35°$

**21** • $15:30=2:x$

➡ $15×x=30×2$, $15×x=60$, $x=4$

• $15:y=2:8$

➡ $15×8=y×2$, $y×2=120$, $y=60$

**22** 닮음비는 $\overline{BC}:\overline{EF}=5:15=1:3$이다.

$\overline{AB}:\overline{DE}=1:3$에서 $\overline{AB}:9=1:3$

➡ $\overline{AB}=3$ cm

**23** 접은 각의 크기는 같으므로 $\angle DPR=\angle x$

$\overline{AD}\parallel\overline{BC}$이므로

$\angle DPQ=\angle PQB=70°$(엇각)

➡ $\angle DPQ=\angle x+\angle x=70°$, $\angle x=35°$

**24** △EBC는 $\overline{EB}=\overline{EC}$인 이등변삼각형이므로

$\angle FBC=\angle GCB$

$=(180°-80°)÷2=50°$

➡ $\angle ABF=90°-50°=40°$

**25** △DBC에서

$\angle DBC+\angle DCB=180°-130°=50°$

△ABC에서

$50°+\angle x+\angle DBC+\angle DCB+30°=180°$,

$50°+\angle x+50°+30°=180°$ ➡ $\angle x=50°$

**01** ㉡   **02** $\overline{DC}$

**03** 예

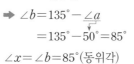

A / 125°
45°
B 55°
80°
C

**04** 삼각형이 될 수 있다.   **05** 25°

**06** 115°   **07** 75° / 105°   **08** 360°

**09** 1 : 3   **10** 70° / 70°   **11** 55°

**12** 70 / 6   **13** 13   **14** ㉢

**15** 80°   **16** 45°   **17** 50°

**18** 90° / 65°   **19** 100°   **20** 85°

**21** 85°   **22** 35°   **23** 100°

**24** 70°   **25** 110°

---

**01**

A B C D

➡ $\overrightarrow{BC}=\overrightarrow{BD}$

**02** $\overline{AB}$와 $\overline{DC}$는 각각 $\overline{AD}$에 수직이므로
$\overline{AB}$와 $\overline{DC}$는 서로 평행하다.

**03** (∠B의 외각)=180°−55°=125°
└→ 평각

**04** 9 cm+12 cm=21 cm
➡ 21 cm>15 cm이므로 삼각형이 될 수 있다.

[잠깐만] **삼각형이 될 수 있는 조건**
(가장 긴 변의 길이)<(나머지 두 변의 길이의 합)

**05** $\angle x=90°-65°=25°$

**06** 사각형의 네 내각의 크기의 합은 360°이므로
$\angle x=360°-(95°+90°+60°)=115°$

**07** 평행사변형에서 두 쌍의 대각의 크기는 서로 같다.
└→ 마주 보는 각
$\angle x=75°,\ \angle y=105°$

**08** 다각형의 외각의 크기의 합은 항상 360°이다.

**09** $\overline{AB}$의 대응변은 $\overline{EF}$이다.
➡ $\overline{AB}:\overline{EF}=2:6=1:3$
[잠깐만] 닮음비 ➡ 대응변의 길이의 비

**10** $l /\!/ m$이므로 ∠$a$=70°(엇각)
$n /\!/ p$이므로 ∠$b$=∠$a$=70°(엇각)

**11** ∠COE=∠FOD=35°(맞꼭지각)
∠COB=90°이므로
∠EOB=90°−35°=55°

**12** 75°+$x$°=145°, $x$°=70° ➡ $x$=70
$y$=12÷2=6

**13** 중심각의 크기가 45°로 같으므로 현의 길이가 같다.
➡ $x$=13

**14** ㉠ $\overline{AC}=\overline{DF}$(대응변)   ㉡ ∠D=∠A=60°(대응각)
㉢ ∠D=60°이므로
△DEF에서 ∠E=180°−(60°+50°)=70°

**15** 오각형의 외각의 크기의 합은 360°이므로
$\angle x=360°-(75°+70°+75°+60°)$
$=80°$

**16** △ABC에서
∠ACB=180°−(60°+40°)=80°
➡ ∠ECD=80°(맞꼭지각)
△CDE에서
∠CED=180°−(80°+55°)=45°

**17** $\overline{OD}=\overline{OC}$이므로 △DOC는 이등변삼각형이다.
$\angle x=(180°-80°)÷2=50°$

**18** $\overline{AD}$는 ∠A를 이등분하는 선이므로
∠CAD=∠BAD=25°, $\angle x$=90°
△ADC에서
$\angle y=180°-(25°+90°)=65°$

**19** (육각형의 내각의 크기의 합)
$=180°×(6-2)=180°×4=720°$
➡ $\angle x=720°-(115°+150°+130°+105°+120°)$
$=100°$

**20** ∠$a$=60°(동위각)
➡ ∠$b$=180°−35°−∠$a$
=180°−35°−60°=85°
$\angle x$=∠$b$=85°(동위각)

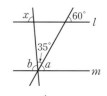

$x$ 60° $l$
35°
$b$ $a$ $m$

**21** 직선 $l$과 직선 $m$에 평행하도록 보조선을 그으면
∠$a$=50°(엇각)
➡ ∠$b$=135°−∠$a$
=135°−50°=85°
$\angle x$=∠$b$=85°(동위각)

$x$ $l$
135° $b$
$a$
50° $m$

**22** ∠AOB=∠AOD−∠BOD
$=145°-90°=55°$
➡ ∠BOC=∠AOC−∠AOB
$=90°-55°=35°$

**23** △AOD에서 ∠AOD=180°−(35°+45°)=100°
➡ ∠AOB=180°−100°=80°
△ABO에서 $\angle x+\angle y=180°-80°=100°$

**24** $\overline{DG} /\!/ \overline{EF}$이므로 ∠ACB=∠CBF=55°(엇각)
∠ABC=∠CBF=55°(접은 각)
△ABC에서 $\angle x=180°-(55°+55°)=70°$
[잠깐만] △ABC는 $\overline{AB}=\overline{AC}$인 이등변삼각형이다.

**25** △ABC에서 ∠ACB=180°−(25°+135°)=20°
△DBC에서 ∠DBC=180°−(70°+60°)=50°
➡ △EBC에서 $\angle x=180°-(20°+50°)=110°$

7
단
계

## 49 성취도 확인 평가 4회  117~119쪽

| | | |
|---|---|---|
| **01** ∠ABC(＝∠CBA) | | **02** 55° |
| **03** 80° | **04** ㉢, ㉠, ㉡ | **05** 135° |
| **06** 100° | **07** 70° | **08** 900° |
| **09** ③ | **10** 50°/ 85° | **11** $\overline{AB}$ |
| **12** 90°/ 50° | **13** EFD, RHS | **14** 4 cm |
| **15** 60°/ 80°/ 80° | **16** 정육각형 | **17** 20° |
| **18** 75° | **19** 30°/ 60° | **20** 140° |
| **21** 65° | **22** 120° | **23** 95° |
| **24** 30° | **25** 75° | |

**01** 각을 나타낼 때 꼭짓점이 가운데에 오도록 한다.

**02** $l /\!/ m$이므로 동위각의 크기는 서로 같다.
➡ $\angle x = 55°$

**03** 사각형의 네 내각의 크기의 합은 360°이므로
$\angle D = 360° - (120° + 65° + 95°) = 80°$

**05** $\angle x = 85° + 50° = 135°$

> 잠깐만 삼각형에서
> (한 외각의 크기)=(그와 이웃하지 않는 두 내각의 크기의 합)

**06** 삼각형의 세 외각의 크기의 합은 360°이므로
$\angle x = 360° - (145° + 115°) = 100°$

**07** 사각형의 네 외각의 크기의 합은 360°이므로
$\angle x = 360° - (100° + 105° + 85°) = 70°$

**08** (칠각형의 내각의 크기의 합)
$= 180° \times \boxed{(7-2)} \rightarrow$ (꼭짓점의 수)－2
$= 180° \times 5 = 900°$

**09** ③ (직각)＝90°, 0°＜(예각)＜90°이므로
90°＜(직각)＋(예각)＜180°

**10** $l /\!/ m$이므로 엇각의 크기는 서로 같다.
➡ $\angle x = 50°$
$\angle y = 180° - \angle x - 45°$
$= 180° - 50° - 45° = 85°$

**12** $\overline{AC} \perp \overline{BD}$이므로 $\angle x = 90°$
△AOD에서 $\angle y = 180° - (90° + 40°) = 50°$

> 잠깐만 마름모에서 두 대각선은 수직으로 만난다.

**13** 두 직각삼각형에서 빗변의 길이와 다른 한 변의 길이가 각각 같으므로 RHS 합동이다.

> 잠깐만 **직각삼각형의 합동 조건**
> ① RHA 합동: 두 직각삼각형에서 빗변의 길이와 한 예각의 크기가 각각 같은 경우
> ② RHS 합동: 두 직각삼각형에서 빗변의 길이와 다른 한 변의 길이가 각각 같은 경우

**14** 등변사다리꼴에서 두 대각선의 길이는 서로 같으므로
$\overline{AC} = \overline{DB} = 10$ cm
➡ $\overline{AO} = 10 - 6 = 4$ (cm)

**15** $\angle a = 60°$(엇각)
➡ $\angle b = 140° - \angle a$
$= 140° - 60° = 80°$
$\angle x = \angle b = 80°$(엇각)

**16** 조건을 만족하는 정다각형을 정$n$각형이라 하면
(한 외각의 크기)$= \dfrac{360°}{n} = 60°$, $n = 6$
따라서 한 외각의 크기가 60°인 정다각형은 정육각형이다.

**17** $\angle IAC + \angle IBA + \angle x = 90°$이므로
$40° + 30° + \angle x = 90°$
➡ $\angle x = 20°$

**18** 오각형의 외각의 크기의 합은 360°이므로
$\angle x = 360° - 85° - 80° - (180° - 125°) - 65°$
$= 75°$

**19** △DBC에서 $\angle x = 180° - (125° + 25°) = 30°$
△ABC에서 $\angle y = 180° - (90° + 30°) = 60°$

**20** (한 내각의 크기)
$= \dfrac{180° \times (9-2)}{9} = \dfrac{1260°}{9} = 140°$

**21** $\overline{AD} \perp \overline{BC}$이므로 $\overline{AD}$는 ∠A를 이등분하는 선이다.
➡ $\angle BAD = \angle CAD = 25°$
△ABD에서 $\angle x = 180° - (25° + 90°) = 65°$

**22** 직사각형에서 두 대각선은 길이가 서로 같고, 한 대각선이 다른 대각선을 이등분하므로
$\overline{OB} = \overline{OC}$
➡ △OBC는 이등변삼각형이다.
$\angle BOC = 180° - (30° + 30°) = 120°$
➡ $\angle x = \angle BOC = 120°$(맞꼭지각)

**23** 직선 $l$과 직선 $m$에 평행하도록 보조선을 그으면
$\angle a = 180° - 125° = 55°$
→ $\angle b = \angle a = 55°$(엇각)
$\angle c = 40°$(맞꼭지각)
→ $\angle d = \angle c = 40°$(엇각)
➡ $\angle x = \angle b + \angle d$
$= 55° + 40° = 95°$

**24** △OAC는 이등변삼각형이므로
$\angle OAC = \angle OCA$
$= (180° - 130°) \div 2 = 25°$
➡ $35° + \angle x + 25° = 90°$, $\angle x = 30°$

**25** △BCE에서 $\angle ECD = 25° + 35° = 60°$
➡ $\angle ACD = \angle ECD \times 2 = 60° \times 2 = 120°$
△ABC에서 $\angle ACD = 45° + \angle x$
➡ $120° = 45° + \angle x$, $\angle x = 75°$